JN016012

今日死んで、明日を生きる。

人生を変えるには「捨てる」だけでいい

住谷杏奈

イマジカインフォス

はじめに

もしあなたが今の自分に満足しているのならば、今すぐにこの本を閉じてください。本書は、生まれ変わりたい、何者かになりたいと本気で願う人だけに向けた本だからです。

私はこれまで常に人生をリセットし、何度も生まれ変わってきました。今の環境から抜け出したい、今の自分に納得がいかない、自己肯定感を高めたい、仕事だけじゃなくプライベートも充実させたい、すべてを手に入れたい！　その思いを叶えるためには、今までの自分を一度殺し、新しく生まれ変わらせる必要があります。人生は一度きりではありません。何回でも、やり直しできるのです。

この本に書いたマインドで生きることで、思い通りの自分を手に入れることができます。例えば、非正規雇用から正社員になってキャリアアップしたい、起業して日本にとどまらずグローバルに活躍したい、多くの人に対してアウトプットする発信力を持ちたい、マンションの一室でやっているエステサロンをテナントに替えて本格的にやってみたい、といった人生のステージを上げていくためのマインドをお伝えします。

具体的な目標はないけれど、口ばかりで何も行動できない自分が嫌い、人の目ばかり気にして好きなことができない自分を変えたいという人にとっても、有益な情報を詰め込みました。

生まれ変わるために必要なことは「捨てる」ことです。何を捨て、捨てるために何をすべきかをお伝えしていきたいと思いますが、まずは私・住谷杏奈について少しお話をさせてもらいます。だって、何者だかわからない人からあれこれ言われたって、何も響かないですよね？

簡単に自己紹介をすると、かつては売れないタレントでしたが、お笑い芸人・レイザーラモンHGとの結婚を機に芸能界を引退。子どもが生まれてからはママタレントとしてメディアに出ることもありますが、今は演者の仕事はセーブして、美容商品のプロデュースや都内に5店舗あるビューティーサロンの経営、企業のコンサルティングなど、実業家として活動しています。私生活では、中学3年生の息子、小学6年生の娘の母です。

考え方を180度変えてZ級タレントから専業主婦に

「人生はいつだって、何度だってやり直せる」と言い切れる、その原点は、かなりさかのぼって子ども時代にあります。父が転勤族だったので、子どもの頃から2〜3年単位で全国各地に引越しをしていたんです。小学校、中学校それぞれ3回も転校しています。それで順応力が身につき、人間関係がうまくいかなくても転校と同時にすべてリセットし、新しい土地でまたイチから新しい自分になれることを知ったのかなと思います。何か心残りがあるとしたら、小学生のときに始めた子役でしょうか。ドラマやCMに出させてもらったこともあり、楽しんで劇団に通っていました。小学2年生で大きな役が決まったのですが、関東から北海道へ引越すことになり、泣く泣く諦めた記憶があります。だからかな、中学3年生で雑誌に出るようになってから、芸能界への道を選んだのは。

10代の売れないタレント時代には、胸を張って言える仕事は何ひとつありませんでした。会う人会う人に「なんの仕事をしている人なの?」と聞かれても、堂々と「タレントです。芸能人です」なんて言えるはずもなく、「フ、フ、フリーターです」と答えていました(笑)。

自分を俯瞰で見たときに、タレントとして売れる未来が1ミリも見えなかったので、早く仕事を辞めて専業主婦になりたかったのです。弱冠20歳、単純ですよね（笑）。そのときにお付き合いを始めたのが、大ブレイク直前のレイザーラモンHG。それまで私の恋愛パターンは、自分から追いかけたいタイプでしたが、そんな恋愛は一度もうまくいった試しがなく、幸せを感じることは皆無でした。たくさん傷ついた結果、次に恋愛するとしたら今までとは真逆の〝相手に追いかけられるような恋愛〟をしたら幸せになれるんじゃないか、と思っていた矢先に出会いました！

夫には悪いのですが、最初は本当に興味がなくて（笑）。でも、積極的にアプローチしてくれたので、この人は今までとは真逆で追いかけてくれる系かも、人生リセットできるかも、この人との恋愛にチャレンジしてみよう！と思って、恐る恐る付き合い始めてみたら、とても居心地がよかったので、すぐに結婚しちゃいました。自分の理想に固執せず、スパッと考え方を180度変えたことで、今までの地獄のような恋愛から抜け出せ、とても幸せな人生に変われたんです。私が人生を大きくリセットできたのは、間違いなくこの結婚のタイミングでした。

夫のケガで悠々自適の専業主婦はあっけなく終了

憧れていた専業主婦から実業家への道へと踏み込んだのは、夫がプロレスの試合で入院するほどの大ケガをしてしまい、休業せざるを得なくなったことがきっかけでした。今まで十分にいただいていたお給料が月7000円にまで激減してしまったのです。わずかながら貯金があったので、生活レベルをかなり下げればなんとか暮らしてはいけたけれど、夫に「こんなことで私たち家族は終わらないよ!!」という激励の意味もこめて、私が働いて、今まで夫が稼いでくれていただけの金額を稼ごうと意気込み、今の生活レベルを守ろうと決断しました。

息子が1歳になったばかりだったので、まったく不安じゃなかったと言えば嘘になります。どんな仕事をすればいいのか、いろいろな人に相談をしました。事情を知った友人が、販売員の仕事を紹介してくれたりもしましたが、子どもを預けて定時の仕事に出るというのは、当時の私には選択できませんでした。家にいながらできる仕事はないかと考えるようになり、思いついたのが商品を作って販売するということでした。

とはいえ、主婦がそう簡単に商品を作って売れるわけがないですよね。

実は、タレントは引退していましたが、書くことが好きでブログだけは続けていたんです。その頃ブログをやっていた芸能人は少なく、アメブロランキング上位の常連だったのは、私の記憶では女優のともさかりえさんと酒井若菜さんだったと思います。専業主婦だった私は、料理のブログ記事を見るのがとても参考になっていたので、私も撮りためていた料理の写真をアップするようになりました。すると、いつも読んでいた女優さんたちと並んで、私のブログもランキング上位に入っちゃったんです（笑）。ブログを始めるタイミングが早かったから運よく、という感じで。

私のブログが話題になって、企業のイベントに呼んでもらったり、雑誌の取材が入ったり、企業の商品をブログでPRするお仕事をいただけたり、とブログきっかけでお金を稼ぐことができてしまったのです。今はSNSでお金を稼ぐことが当たり前になっていて、やっている方もたくさんいると思いますが、当時は「専業主婦の私でも家にいながらお金を稼ぐことができるんだ」と、かなり驚いた記憶があります。

ブログを始めて1年もたたないうちに、私のブログ記事で紹介した商品の売れ行きが上がったという報告をよくいただくようになり、たった1記事のPRのお仕事で車を買えるくらいの大金を手にしたこともありました。

当時のことを私は「ブログバブル期」と呼んでいます。ただ、当時からこれはバブルで、絶対に長くは続かないだろうと確信していました。

ブログを始めるタレントも増えてきたので、いつバブルがはじけるかわからない。なので、ひと足先に商品をPRする仕事は辞めて、自分の商品を作って売っていきたいと思うようになりました。学生の頃からコスメオタクでさまざまな化粧品を使ってきましたし、PRのお仕事でさまざまな商品を試させてもらった経験も活かせると思い、家計が大ピンチのときに思い切って商品開発をしてみようと一歩踏み出したのです。

最初に作ったのが、食べられる野菜エキスを配合した、子どもも安心して使える固形石けんでした。自分が使いたいものをイチから考え、生産してくれる工場を自分で探して、電話をかけまくり、サンプルを試しては修正、試しては修正を何回も繰り返し、処方が決まったら価格交渉も自分でやりました。化粧品を作る知識なんてひとつもなかったけれど、化粧品の成分表示ばかり見ていたコスメオタクだったので、どんな物を作りたいかをはっきりと明確に工場に伝えられたのです。すべてにこだわって作ったので、製品となってお店に並んだときは涙が出るほどうれしかったですね。

ブログの読者さんを中心に大勢の方がこの石けんを買ってくださり、即完売。作った商品が売れるという喜びをそのとき初めて知りました。好奇心旺盛な性格の私は、同じものを長く売っていくというビジネスモデルより、常に新しい商品を作っていきたいと考え、はい、次の商品、はい、次の商品と、頭をリセットし、次々と商品を出していくことになるのです。

2012年に、絶対に売れるだろうと自信があったフルーツ味の青汁を作って発売したのですが、まったく売れず……。数年後、同様の青汁がいろんな会社から発売されて、ブームになりました。そこで学んだのが、どんなにいい商品を作っても、発売するタイミングや時期、時代の流れで売れるか売れないかの明暗が分かれるということ。早すぎてもダメで、すべてがマッチしないとうまくいかないんだと勉強になりました。

2013年に発売したデリケートゾーン専用のソープは、かなり売れたほうですが、今の時代に出していたらもっともっと何倍も売れていたなという感覚もあります。

失敗を経験しながら事業を拡大。総売上500億までに!

リアル店舗を持ちたいと考え、ブログで稼いだお金1億円を全額投入して、２０１４年に代官山に自分で具材をカスタムできる焼きたてピザのママカフェをオープン。広いキッズスペースがあり、子どもが遊んでいる間にママはリラックスしながらおいしいピザが食べられるという、ママと子どもにとって夢のようなお店を作りたいと思ってオープンさせました。メディアにも頻繁に取り上げていただき、連日行列ができるほどたくさんのお客様に来ていただいていましたが、飲食店経営は未経験のど素人。ママにとって夢のようなお店は、収支が合わず大赤字を出して閉店。

ほかにも子ども服、マタニティーグッズ、補正下着、健康食品などあらゆるジャンルの商品を１００種類以上プロデュースしてきました。その集大成とも言えるものが、ヘアケア商品の私のオリジナルブランド『クレムド・アン』です。２０１８年に立ち上げ、シリーズ累計５００万個を突破。このブランドは、商品も関わってくださっているスタッフとも相性がいいので、長く育てていきたいと考えているブランドです。もうすぐ6年目に突入します。

自分が毎月通えるビューティーサロンやヘアサロンがあったらいいなと思い、２０１８年に『annfism』、２０１９年に『東京美髪研究所』をオープンしました。今では都内に5店舗、すべて直営店で拡大しています。

事業を始めてから何度も失敗をしてきましたが、そこで終わりではなく、その都度、今までの自分を殺して、生まれ変わり、新しい人生をスタートさせてきました。この経験をふまえて、何者かになるためのヒントをこれからお伝えします。

ただし、成功している人のサクセスストーリーをなぞっても同じようにはなれないし、その人を超えることはできません。確実に成功できる法則はないし、それはその人だけが得た経験のひとつであって、誰にでも当てはまるものではありません。さまざまな経験から生まれる失敗や後悔は、自分自身をバージョンアップさせてくれる貴重なものです。失敗を恐れることはありません。だって、人生は何度でもやり直せるのですから。

さあ、最終確認です。自分の心に向き合い、「本当に変わりたいの？」と問いかけ、「ＹＥＳ！」とはっきりと答えられた人だけが、次からのページをめくってください。

今日死んで、明日を生きる　もくじ

第1章

あなたの時給はいくらですか？

第2章 LINEの友だちリスト、すべて消せますか？

第3章 成功しないのは、他人のせいですか？

第4章

人の目が気になりますか？

第5章

好きなことを仕事にしたいですか？

第6章

学べる人になれていますか？

こんな人にはならないで！ あなたのまわりの反面教師 164

特別インタビュー
なんで住谷さんの商品って売れるんですか？ 178

おわりに 184

マインドを変える前に、
まずは自分の〝価値〟について考えてみましょう。
何者でもない自分は価値のない人間、
自分なんてちっぽけだと思っていると、
時間もお金もドブに捨ててしまうようなもの。
それを自覚できていないから、
今の環境から抜け出せないのです。
市場価値を上げるためには、自分を卑下しないこと。
自ら価値を下げるのではなく、
上げていかなきゃやりたいことなんて叶いません！
時間とお金の使い方から、
リセットしていきましょう。

第1章

あなたの時給はいくらです

自分の価値は自分で決められる

日本人はお金の話を毛嫌いするというか、敬遠しますよね。しかし、どんな仕事でも、お金の話は避けて通れません。対価はあなたへの評価であり、実績です。無頓着でいると、自分自身の価値をいつまでたっても上げることはできません。

お金は心に余裕を持たせる道具のひとつです。お金のことで悩まなくなると少しはストレスが減るのではないでしょうか。お金があれば選択肢も増え、可能性が広がります。私自身、27歳のときに初めて月収が8桁いった月があり、自信を得られ、さらに世界が広がりました。かといって、お金持ちが偉いのかといえばそうではありません。お金があっても、自分が生きやすくなるかどうかの話だけな気がします。また、お金持ちに対して僻みや羨ましいという感情を持つのはお門違いです。そんな負の感情を持つ暇があるなら、それだけの対価を得られるよう自分にスキルをつけることに時間を使うべきです。

お金で悩むことは時間のムダ。もちろん私もお金で悩んだことはあります。でも、その悩んでいる時間にもお金は発生していてムダにしているということを、まず伝えたいのです。

「時は金なり」ということわざがあるように、時間とお金は同じように貴重なもので、浪費せず有意義に使うことが大切と言われてきました。このもととなっているのが、英語の“Time is money.”という格言です。ポイントは、時間を損失することは利益を損失すること、という部分なんだそうです。だから、自分が使う1時間の価値を設定すれば、圧倒的に時間の使い方が変わるし、自分の価値も自然と上がっていきます。

1時間の価値を設定するオススメの方法があります。それは、私が昔からやっている「ドリーム時給」をイメージして生きていく！という方法です。

自分が今の仕事ではなくても、将来、この先努力をして稼ぎたい数字を思い浮かべてみます。実際にがんばれば稼げそうだなと思う額のだいたい5倍くらいのイメージかな。漠然と月に1000万円稼ぎたいなぁとか夢のような数字でかまいません。そこで自分の「ドリーム時給」を算出できます！

例えば、月収1000万円と設定しましょう。1カ月20日で割ると日給は約50万円です。さらに1日8時間労働としたら、時給は62500円、約6万円です。この金額が「ドリーム時給」です。

今の自分の月収で同じように時給換算をしてみると、自分にとってこの金額が高いのか安いのかがわかるのではないでしょうか。

私は、2009年からプロデュース業を始め、約14年間実績を積んできたので、次のステージアップに向けて恥ずかしげもなく「時給１００万円」とイメージしていますが、自分にはまだ自信がない、何をして稼げばいいかわからないという人は、時給1万円でも3万円でもいいのです。公言するわけではなく、あくまで自分の頭の中でイメージするだけなので、金額の多寡が大事なわけではありません。しかし、「ドリーム時給」なので、今頭の中で描いている5倍くらいの金額にするのがポイントです。夢のある金額を設定することで、ムダに過ごす時間がなくなり、そのムダに過ごしていた時間を、スキルアップするための勉強をする時間にまわせたり、新しいことを始めるための準備をする時間にまわせるのです。時間は有限です。時間のムダ遣いをしないための金額設定と考えてみてください。

ちなみに、私の場合は、スキルアップのために、常日頃から化粧品のリサーチは欠かしません。ドラッグストアやバラエティショップに足を運んで、今何が売れているかをチェックしたり、実際に購入し使ってみて感想をメモしたりもしています。海外に行ったときは、工場まで行って最新の成分やパッケージがないか、現地の担当者の方にヒアリングしています。また、これは子どもの頃からやってることですが、その日の反省点や、誰かに喜んでもらえてうれしかったこともノートにまとめています。

すべての行動に
時給は発生している

「私は時給100万円だ」と頭の中でイメージして常に行動しています。例えば、仕事関係の方にプライベートでランチに誘われたとします。その方は人の悪口を言ったり自分のことを実力以上に盛って話をしたりする、巷によくいるタイプの人で、私とは気が合わない。だから、私はランチをお断りします。

楽しくない時間を過ごし、自分が向上しない時間は1時間あたり100万円の損失になるからです。自分が実際に100万円を支払っているわけではないから損失じゃないじゃん、と思われるかもしれませんが、そういうことではなく、だったら、その1時間で新しい企画を練ったり、熱心なスタッフと打ち合わせをしたり、もっと言えば家でゴロゴロとNetflixを見て心を癒やしたほうがパフォーマンスは向上するから、お金につながると思っています。

100万円稼げる時間をムダにしたから、100万円の損失なのです。仮にランチをしながらの打合せだとしたら、絶対に時給100万円以上のものを得て帰るという気持ちで臨みます。ただ、私は、仕事は仕事、オフはオフと、分けて考えたほうがいいと思っています。食事をしながら、飲みながらというのは、なあなあになりがちです。日中アポをとって会社で真剣に打ち合わせをしたほうが、お互いにいい結果が生まれることが多いという経験上のお話です。

仕事の付き合い以外のことも同じです。

苦手だな、あまり楽しくないなと思う友人と遊ぶ時間にでもいえることで、その時点でかなりの損失が生まれています。少しでも居心地が悪い場所なら、我慢する必要はありません。そこにいる時間でもっと心が満たされる有意義なことに使わないと、その損失は決して小さくないものになります。

私も昔は八方美人だったので、友だちの誕生日会や定期的な食事会によく顔を出していました。でも、よくよく考えるとそこまで仲良くもない人たちでした。その場にいない人の悪口を言ったり、実際に私も自分がいない所で陰口を言われていたり、そんな話をまた別の誰かから聞いたり……。人生にそんなムダな時間ってありますか？人の機嫌を取って顔色をうかがって、自分の時給も損して。それってなんのプラスにもならないと、一切の付き合いをやめたのが30歳くらいのときでした。それからは、本当に心から信頼できる数少ない友人とダラダラ他愛もない話をしたりするのが心地よく、せま〜〜〜〜〜〜〜〜く深くの人間関係を好むようになりました。

「ドリーム時給6万円」と設定したあなたが高級なお寿司をおごってあげるからと苦手な上司に誘われても、自分の時給を考えればムダだと思って即座に断れるはず。理不尽な説教や昔の自慢話を聞きながら2時間も過ごすなんて、時給6万円のあなたにとっては、12万円をドブに捨てるようなものなのですから。だったら、自分で稼いで自分が食べたいものを自分で食べに行けばいいのです。

少し話はズレますが、私は昔から「自分のお金で食べられない金額の食事は一切口にするな」という考えなので、大学生の頃に高級料理につられてお金持ちたちとごはんに行く友人を、死んだ魚のような目で見ていました（笑）。

自分が何者でもなければ、お金がある、地位がある人との食事、飲みの場ではどうしても立場が弱くなりますよね。仮にそこで仕事の話がしたいと言われ、夜に食事に誘われたとしても、仕事とは関係のないムダな会話が半分以上を占めることでしょう。上司でなくても、仕事につながりそうな人だから、人脈ができそうだからという下心でごはんに行く人も時間のムダ遣いをしています。

はい、それが損失です！　だったら、無理に愛想笑いをして口角が痛くなるような飲みの場に使う2〜3時間、自分を向上させ、スキルアップをしたほうが、最終的によほど稼げる自分になると思いませんか？

タダという言葉に
惑わされない

誰かがお金を払ってくれるわけでもないし、自分が払うわけでもないけれど、自分が行動すること、労力にはお金が発生しているという意識さえあれば、ぞんざいな時間の使い方をしなくなります。

稼いでいる人、成功している人は、時間の使い方が上手。それって、やっぱり“Time is money.”の考えがベースにあるから。時間とお金をムダにしないし、労力に対する正当な対価を得る、という考えをしっかりと持っているんです。

たまにSNSで、「ちょっとイラスト書いてよ、友だちでしょ」とタダで絵を描いてと頼まれた、というイラストレーターの話題が上りますよね。私も若かりし頃、同じようなことがありました。仕事で1回しか会ったことのない人から突然連絡があり、「杏奈さん、ちょっとお茶しませんか？」と誘われ、行くと延々と仕事の相談をされたことがあります。相談だけではなく、ここの会社の誰々を紹介してくれなど、具体的なお願いまでありました。仲のいい友人なら仕事抜きで友人として喜んでアドバイスをします。しかし、私はコンサル業もやっているので、普段は正式に企業から依頼を受け、お金をいただいて業務のアドバイスをしています。それを、ちょっと知り合いだからといって世間話の延長みたいに考えている人がいるんです。そこで、よく思われたい、嫌われたくないという気持ちで、「いいですよ～」と安請け合いしてしまうと、自分で自分の価値を下げてしまうことになります。タダでノウハウを聞き出せる人と思われている時点で、私もまだまだダメだなと気が付けたことだけはよかったのですが……。

知り合いから得意なこと、専門分野に対して「タダでやって」とお願いされたら、はっきりとNOと言える人にならないとダメです。もし起業をしたいと考えているなら、尚更です。まだ何も実績がないと無料でもいいとか、自分を安く見積もってしまいがちですが、労力に対する正当な対価はいただかないと、いつまでたっても自分の時給、価値は上がりません！

安請け合いもそうですが、ある程度、収入がアップして忙しくなったときにお金と時間の使いどころを間違えちゃう人って多いんですよね。特に働く女性の場合、仕事、家事、育児、全部を並立するのは難しいもの。日本では家事をプロに外注するという選択肢をいけないことのように考えている人が多い気がします。自分でやればお金がかからずタダで済む掃除や洗濯を、わざわざ人に頼んでお金を払うなんてもったいない、と思っている方もまだまだ多いのではないでしょうか。

でも、例えば1時間1500円の家事代行を3時間頼んで掃除や洗濯をしてもらえば、その時間を仕事にあてられるし、部屋は自分で掃除するよりもピカピカになります。1時間1500円でも高い、そう思いましたか？　そんなときに思い出してください！　そう、自分のドリーム時給を！　4500円で家事代行を3時間頼んだほうが、断然お得です。

交通費も同じで、タクシー移動を贅沢という人も多いですが、少しも歩かずに目的地の目の前まで運んでくれるので、車内で電話打ち合わせができたり、メールを返したり、資料に目を通すこともでき、移動時間もまるまる仕事ができるので効率がよく、ムダどころか逆に利益を生むことになる可能性だってあるのです。

家事のことに関しても、タクシーに関しても、そうしなさいと言っているわけではなく、そういう考え方もあるということをお伝えしたいのです。物事をさまざまな角度から見て考えられる人が成功します。思考をロックすることは、成功する脳ではありません。

最近、こんなことがありました。私が経営している『東京美髪研究所』で、美容師のスタッフが使っているワゴンのひとつが壊れてしまいました。いつもお店全体の売上のことを考えてくれる優秀なスタッフで、ワゴンは自分が壊してしまったので、お店の経費を使うのは申し訳ないから時間が空いたら自分で直そうと考えていたそうなのです。そのため、一時的にガムテープを貼って使っていたのですが、繁忙期だったということもあり、1週間くらいそのままの状態でした。

節約したいという気持ちはお店にとってとてもありがたいけれど、目先の収支で考えずに広い視点で物事を考えるように、と注意しました。新しいワゴンを買えば2～3万円で済みますが、そのお金がもったいないとガムテープを貼って補強したワゴンを使って営業をするのは、高いお金を支払って来てくださっているお客様がいるサロンには不釣り合いです。優雅な気分に浸りに来てくださっているお客様がガッカリして次から来店されなくなるかもしれないし、テープがはがれて壊れたところを万が一お客様が触ったら、ケガをさせてしまうかもしれない。そのスタッフだって使いにくく、営業のパフォーマンスが下がってしまうかもしれない。目先の損失を考えた結果それ以上の損失が出てしまうかも、という想定をできる人になってほしいのです。スタッフには「自分でやればタダなのに」という考えは捨てようという話をしました。

「タダ」という話でもうひとつ。

「タダより高いものはない」ということわざがあります。自分のお金で食べられないものは口にするなと言いましたが、安易におごってもらうということは、自立していないだけでなく、後々おごられた以上の代償を払うことになると私は思っています。

とある実業家の方から、知り合いの女性に化粧品のプロデュースをさせたいので相談に乗ってほしいと言われました。その実業家の方は私がお世話になっている人の知人だったので、話だけでも聞いてみようと食事に行きました。いろいろとお話を聞いてみると、オリジナルの商品を作ることに対する考えが甘いなと感じたうえ、ミーハーな一面も見えたり部下に横柄だったりして、いい印象ではありませんでした。私からアドバイスをすることはないし、この件に関わりたくないと思ったので、お手洗いに立ったついでに全員分の食事代を先に支払い、おひらきにしました。

その実業家の方にもし食事代を出してもらっていたら、「住谷さんにごちそうしたことがあるんだよ」とか、「仲良しで呼べばすぐ来るよ」とベラベラと言いふらされそうだと思ったからです。ごちそうになる（＝タダ）ということは、弱い立場になってしまうんです。それを回避するための出費だと思えば、高くはなかったかなと思います。

「出資してあげるから」と甘い言葉につられて、ホイホイとのっかる人も要注意。出資してもらうことが悪いのではなく、自分はお金を出してないから失敗してもなんとかなると思いがちだからです。それに仕事は貸し借りで成り立っていますから、借りばかり作っては、一生肩身が狭いまま。お金は使わないと入ってきませんから、タダにつられず、使いどころを間違えないようにしないといけません。

市場価値を上げるには
もったいないを捨てる

私はアイドルをやっていたときはまったく売れなくて、イベントをやってもお客さんが30人集まってくれればいいほう、というレベルのB級、いやZ級アイドルでした。事務所を辞めて主婦ブログをやったら突然注目されるようになって、それまで同じ土俵に上がれなかったママタレントたちと肩を並べて雑誌やイベントに出演できるようになり、大きな仕事が舞い込むようにもなりました。

そのとき考えていたのが、自分の価値を自分で上げること。当時、企業の商品をブログの記事で宣伝をすることで収入を得ていたのですが、最初は右もわからず、いただいた依頼はなんでも受けていました。1カ月分のPR記事予定が、その前の月にはすべて埋まっている状態でした。あるとき、それを続けていったら、どんどん消費されていって飽きられるって思ったんです。当時のことを「ブログバブル期」と呼んでいるのですが、バブルはいつかはじけちゃうものだから、長続きしないなっていうのも見えていた。だから、目先のお金よりも長い目で見て取捨選択するようになったんです。

ひとつの仕事をお断りすると、「では、この金額ではどうですか?」とギャランティがプラスされた提案を受けることがあります。そこで、私の価値が一段階上がるわけです。それでも難しいですとさらにお断りすると、「どんな商品ならいいですか?」と、また条件を提示できるチャンスをいただける。そうやって、自分の価値を上げていく術を、その時代に身につけていました。

この仕事を逃したらもったいないと思って目先のお金にがっつくのはやめたほうがいいということ。特に表に出る仕事は、むやみやたらに出るとどんどん消費されて、飽きられてしまうもの。ここ最近の話でいうと広告のお仕事はギャランティがいいので飛びつきたくなるけれど、「1年に1社しかやりません！」みたいなブランディングをすると、出演すると決めた広告主の会社の方は、「数ある中で弊社を選んでくれてありがとうございます」と、私に対する評価、価値が上がる。断られた会社は、「来年はぜひに……」と、次回はより高い金額を提示してくれる。1年間で得られる収入は限られてしまうので損をしているように感じるけれど、3年、5年と長い目で見てトータルで考えると、消費されずにどんどん自分の価値が上がり、得られるものも大きくなっていくんです。

「この仕事を受けないなんて、もったいない！」という考えを捨てたことで、自分の市場価値を高めることができました。


ブログに限ったことではありませんが、どんなものにも賞味期限があって、いつか廃れていくんです。ブームは一時的なもの。「ああ、あれ流行ってたよね。今、どうなってるんだろう」と、あの人は今みたいな扱いになるのであれば、いいときにスパッとやめたほうがいい。下火になったときに自分の名前が出ると、ずっと〝失敗した人〟というレッテルを貼られてしまうものです。だったら、いいときで終わらせて、〝いつも売れている商品を作る人〟という印象を残したいと思っています。

もちろん長く売れるものもあり、いい商品はやがて定番品になっていきます。それは、それでうれしいことです。ただ、続ける美学よりも、新しいことにチャレンジして、もっといいもの、もっと違う新しいものを作っていくほうが今の時代にあっている気がしています。

私がこれまでプロデュースしてきた商品の多くは、1～2年で生産を終了していきます。「あれ、便利だったのになくなってさみしいよね」といい印象を残したままで終わらせたいというのと、「あの商品がよかったから、次も楽しみ！」と思っていただきたいからです。売れているのに販売をやめるのはもったいないとしがみついていると、いつかその商品の価値は下がっていくかもしれません。これも、価値を上げるための戦略のひとつです。

生きているお金
と
死んだお金

「投資」と「消費」という言葉があります。私はそれを、それぞれ「生きているお金」「死んだお金」と呼んでいます。株や不動産投資は生きているお金。どんどんお金を生み出してくれます。別荘を買うとか、高級外車やブランド物を買うのは、死んだお金。そこから新たにお金は生まれないけれど、自分の欲だけは満たしてくれます。

一方的に「死んだお金」が悪いという単純な話ではありません。私は、どちらのお金もバランスよく使っています。余裕がなければ趣味に使えないし、ほしい物も買えない、投資もできない。節約も大切ですが、欲があるからこそ稼ごうという気力につながります。逆に、税金を納めるのが嫌だなって考えていても、納税は国民の義務で、絶対に納めなきゃいけない。それなら、それ以上にもっともっと稼ぐにはどうしたらいいか、と嫌な気持ちをポジティブなエネルギーに変換しています。

もちろん私も、はじめから今の収入があったわけではありません。手取り15万円をクリアしたら、次は30万円、50万円、80万円と少しずつステップアップしてきました。そして、100万円稼げるようになったら次は300万円、その次は500万円、1000万円と、どんどん自分の中での目標を高くしていったのです。

常に現状に満足せずに自分を奮い立たせる、そして、失敗したらリセットボタンを押す。失敗で経験した知識を鎧にし、またイチから戦いに出かけるのです。人生その繰り返しですね。

私の感触では、手取り15万円の時代からステップアップしていき、80万円になるかならないかくらいのときが一番苦労しました。試行錯誤して自分の武器を模索していた時代です。それができるかできないかでその先のビジョンが変わっていく気がします。全員平等に与えられる24時間。その中で削れるのは寝る時間だけと、1日平均2時間しか寝ていなかった時代ですね。子育てをしながら、死ぬほど稼ぎたいとがむしゃらに過ごしていました。そのミッションを乗り越えたら、その先は頭と時間の使い方次第。本当に自分の武器を知りブランディングができるようになると、トントン拍子に物ごとが進むんです。

ただ、「ブログバブル期」からまとまったお金ができると好きなことに投入していたので、以前の私に貯金はありませんでした。自分が元気なうちに好きなことをしたいという気持ちから、稼いだお金を全額残さずに新しいことを始める資金に使っていました。ですが、コロナ禍になってからこのままじゃダメだ、何が起こるかわからない世の中になってきたからこそ、家族のためにも将来の不安がないように何か対策を練らなくては、と思い始めたのです。ちょっとした発言で炎上してすべてを失う可能性だってゼロではありません。うまくいっているときこそ、一度立ち止まって自分を俯瞰で見ないといけません。

そこで始めたのが投資。さまざまな投資を実践してみて、死んだお金ではなく生きたお金の使い方を知りました。私が明日から何かしらの理由で働けなくなったとしても最低限家族が生活できる位のお金はまわるように種をまきました。

さまざまな投資をしてみて大事なことが3つわかりました。1つ目は、いわゆる「情弱」にはならないこと。今は、待ってばかりいるのではなく、自ら情報を取りに行く時代です。勝つか負けるかはスピードも重要になってきます。知らなかったでは済まされないこともあるので、情報をしっかりと理解し、これだという自分で納得したことにはすぐに行動に移しています。2つ目は、誰かのせいにしないこと。投資は自分の責任でやることです。誰々がいいって言っていたからやったのに、なんて言うのはナンセンス。自責の念をしっかりと持つこと。3つ目は余剰資金でやること。最悪なくなってもいいと思える資金でやらないとダメです。

一番大事なのは、たくさんの情報が無料で転がっている時代だからこそ、間違った情報が紛れていることもあるということを理解しなければなりません。何が正しくて何が間違っているのか、ちゃんと見極められる目を持つことが大事です。私はおいしい話に飛びつくのではなく、リスクもきっちりと理解して、自分の責任で始めました。お金を上手に操ることは、自分自身を成長させることにつながると思ったからです。

今日死んで、明日を生きるためには、
過去をバッサリと捨てる覚悟が必要です。
うまくいかなかったことを
ズルズルと引きずってウジウジしていてもムダ。
失敗やトラウマを抱えて同じ世界で生きていても、
新しいステージには進めません。
過去の栄光にすがるのも同じ。
あのときは成功したかもしれないけれど、
刻一刻と時は過ぎていくのです。
アップデートできていない人は、取り残されていくだけ。
生まれ変わりたい、さらに高みを目指したい
のであれば、過去にとらわれていてはいけません。
特に人付き合いの整理は急務です。

ト、
せますか？

第2章

LINEの友だちリストすべて消

真っ白な
キャンバスになれ

私は、独身時代の記憶がほとんどありません。だから、取材で昔のエピソードをきかれてもいつも返答に困ってしまいます。ネガティブなことはすぐに忘れるようにしてきたし、特に、嫌だったことはすぐに記憶から消してしまう癖が身に付いてしまい、いつからか勝手に脳から消えてしまうようになりました。過去に付き合っていた人なんて名前も思い出せないくらい（笑）。

「はじめに」で話したように、実家が転勤族だったこともあって、転校するたびに違う環境でイチから始めることに慣れています。つらいことや納得のいかないことがあると、迷いなくリセットボタンを押してきました。

今考えると本当にちっぽけなことでも、その当時の自分にとってはこの世の終わりくらいに悩むことが多々あって、そのたびにトランクひとつ持って大阪など違う街へ行き、誰も知り合いがいない場所でバイトをしながらイチから生活しようといつも考えていましたね。いつでも逃げる場所はあるんだ！という気持ちが頭のどこかにあったことが、唯一の救いだったのかもしれません。

私はよく経営者向けの講演会を頼まれるのですが、その講演会に来てくださった企業の社長から、中途採用の社員研修を依頼されることがあります。そこで必ず

「やりたいことのためにすべてを捨てることができるか？」「自分の過去の考え方を100％捨てることができるか？」というお話をします。これは、実際にそうしろということではなく、どこまで誠意を持って人生を賭けられるか、というたとえ話として使います。

「新しいことに挑戦して手に入れたいものがあるなら、そのすべてを捨てなさい」と言われても、たいていの人は、すべてを捨てたフリをしてこっそり2割くらいは残してしまうものです。すぐに成功の敵〝もったいないオバケ〟が出てきてしまい、自分が築いてきた狭い世界での「すべて」を捨てきれないんです。でも、すべてを捨てないと真っ白なキャンバスにはなれません。新しい環境で新しいものを吸収できるチャンスなのに、真っ白ではなく前に描いたものが残っているキャンバスだと、せっかくのきれいな新しい色が濁ってしまう。まずはすべてを捨てる勇気を持てるかどうかが、とても重要です。

アラサーくらいになると、新しいことに挑戦したい、もっとステージを上げたいと勇気を出して環境を変えたとしても、ふとしたときに過去の小さな栄光や小さな実績にしがみつきがちです。

新しいスタートを切りたいと環境を変えたなら、まっさらな気持ちで臨んでほしいもの。だから、まずは「今現在、自信を持てるものがなく、成功していないのだから、過去の自分を恥じてすべてリセットしなさい」と伝えます。現状、くすぶっている人のこれまでの成功体験やプライドはなんの意味も持たないことを思い知らせるのです。これを私は「鼻をへし折る作業」と呼んでいます。この作業をすることで、どんなこともポジティブにスピーディーに吸収できるようになります。スポンジのような吸収性が大切です！

受け入れる素直な心がある人ほど成長が早いし、伸びしろがあります。いかに柔軟性があるかどうかを、この作業で判断しているのです。こりかたまった考えでは、今の時代、生き残れません。

「過去があるから今の自分がある」と言っていいのは成功者だけ。生まれ変わり、何者かになりたければ、これまでの自分を捨てる覚悟を持ってください。

今すぐ
友だちリスト
消してください

自分の会社の入社面談で「会社の方針だと言ったら、この場でLINEの友だちリストをすべて消せますか？」と質問します。これだけ聞くとヤバい会社のヤバい社長だと思われてしまうかもしれませんが、これを聞くのには理由があります。

この質問に対する答えは、だいたい3パターンに分かれます。

1．全部捨ててでもここで働きたいので、すべて消します！
2．家族や親友だけ残してもいいですか？
3．今までがんばって築いてきた人脈をすべて捨てるなんてできません……。

さて、あなたはどのタイプでしょうか？

もちろん実際に消してもらうわけはなく、そのときの反応を見ているのです。
私のもとで働きたいと入社してきて、今後私を信用してついてこられるのか、これまでの考えを捨てて真っ白なキャンバスになれる柔軟性はあるのか、AかBを選択するときに、正しいほうを選べる判断能力はあるのか。やはり、すんなり「消せます」と言えた人は、その後ステップアップしているし、すごいスピードで成長しています。
3の〝もったいないオバケ〟にとりつかれている人は、人生の選択をことごとく間違え、目の前に来たチャンスを逃す傾向にあります。

古くからの友人や地元の仲間を大切にするのは悪いことではないけれど、居心地がいい場所に身を置いていると甘えが出てしまい、成長スピードは上がりません。ステージを上げたい！　何者かになりたい！　生まれ変わりたいのであれば、人付き合いもそのタイミングでリセットしなければいけないと思っています。

それに、友だちリストに100人、300人、500人……といたって、そのうち何人があなたのことを真剣に考えてくれていますか？　あなたがピンチのときに自分を犠牲にして助けてくれる人は何人いますか？　量より質です。

人に嫌われたくないと八方美人で人付き合いしても疲れるだけだし、気をつかいながら付き合う時間はムダです。そして本当にあなたのことを考えてくれている人がいたとしても、八方美人でみんなにいい顔をする人には、この人は仲良い人が多そうだから自分が助けなくてもほかの人に助けてもらえるだろうと思われることだってあるのです。

友情とか絆とかって、もちろんプラスになることもあるけれど、モヤモヤしたり頭を悩ませたりする材料になる場合もあります。

いつまでたっても〝もったいないオバケ〟にとりつかれて過去を捨てられないと、

過去が重すぎて前に進めません。なんでも容量って決まっていると思うんです。スマートフォンだって容量が決まってますよね。設定された容量以上は入らないもの。新しいデータを入れるためには、古いデータは削除しなければなりません。もしこれがコップだったら中身があふれて、ムダになってしまいます。私たち人間だって、抱えられる物事の容量はきっと決まっているし、自分の脳の容量も決まっています。満杯だと新しく大事なものがやってきたときに入れられなくて、結果損をしてしまいます。

しかし、常に整理をして空き容量を作っておけば、急にいいものを取り入れる機会がやってきても、そのチャンスを逃すことはありません。何かを捨てた分だけ、新しい何かをその場所に入れることができます。新しくいいものだけを入れるためにも、過去を潔く捨てて余白を作っておくことが大切です。

新たな環境でのスタートラインに立つためのリセットができるかできないかを、「ＬＩＮＥの友だちリストを消すことができるか？」という質問で、私は見極めているのです。

人脈づくりなんてくそくらえ！

人生をやり直したいという大きな覚悟があるならば、スパッとＬＩＮＥの友だちリストくらい消去することができるはずです。訣別の連絡を入れろとまでは言っていませんから（笑）。私は人生のリセットボタンを押すたびに、実際にＬＩＮＥは全消去してきました。すべて消去しても、会いたい人、ご縁のある人とは、どこかでまたすぐつながるものです。

しかし、あの人とつながっておけば得かも……と、打算的な考えで付き合っていた人とは、自分から連絡をとらなければ自然と疎遠になっていきます。向こうは、別にこちらをそこまで必要としていませんからね。一度離れて俯瞰で見ることで、本当のつながりがわかるのです。これこそ、人間関係のリセット！　今まで積み上げてきた人脈がもったいないと、またまた〝もったいないオバケ〟を登場させると、本当に大切な人も現れません。すべてにおいて、ケチの思考を捨てましょう。生まれ変わるためには、人間関係の整理は必須です。

それに、過去の人間関係が原因で、せっかくステージを上げてうまくいっていたことが台無しになることもあります。だって、ダメだった過去の自分、実績を作れていないときの自分が付き合っていた人は、あなたを奮い立たせ、高みには連れて行ってくれないのですから。それに、足を引っ張られるリスクだってありえるのです。今までの自分を捨てて人生やり直して成功したいと強く願うなら、まずは人間関係の整理が急務です。

そして人間関係で気をつけたいのは、「人脈って大事だよね？」という謎のビジネスルールを持ち出すことです。

就職活動や転職活動では「人脈を広げることが成功の秘訣」と言われるそうですが、そんなの本当に意味のないことなのになって思います。人脈人脈言っている人って、結局のところ自分に実力がないから他人の力を使って成功を得ようという、安易な考えをしているだけなんですよね。自分に才能や実力があれば、人は必ず向こうからやってくるもの。

「仕事をください！」「誰々を紹介してください！」「うちの商品を広めてください！」と、頼んでばかりでは借りを作るだけになり、借金ばかり増えているのと同じ状況です。頼んだ相手と同じステージに立てていないということをきちんと理解したほうがいい。仮に頼み込んで仕事をいただいたのなら、しっかりと相手に利益を生み出さないと2回目、3回目の仕事はいただけないと肝に銘じ臨まなければなりません。

ギブアンドテイクの関係が築けず、テイクばかりを求める〝テイカー思考〟の人は成功できません。仕事をくれそうとか、つながっておけばいいことがありそうとかで交友関係を築こうとするのは本当にダサいことなので、即やめましょう。

例えば、経営者の集まりやパーティーに頻繁に参加して人脈づくりに精を出していても、自分が何者でもないときはなんの意味もありません。そこに行けば「勢いのある会社の偉い人とつながれるかも」とか「仕事につながりそうな人と出会えるかも」と期待しても、あなたが何者かでない限り、期待通りにはいきません！

同じパーティーに参加していただけなのに、後日いろんなところで「あの社長とこの前飲んだんだよねー」「○○社長？　知り合い！」って言っちゃうような人いますよね？　それ、全然知り合いじゃありませんから！って言いたくなるような（笑）。そういう人間になるくらいなら、そう言われる人間になりましょう！

実力がない人ほど、人脈づくりに明け暮れ、時間もお金もムダにしています！　人脈を作る前に、自分のスキルを磨いて実績を作ることのほうが先決です。自分に実績があり、価値のある人間になれば、何もしなくても仕事のオファーはやって来るもの。人に媚を売らなくても、実績だけで評価されるのです。

私も昔はいろいろな業界の人と会う機会を作っていたけれど、振り返ってみるとなんの役にも立っていなかったなって思うんです。自分が空っぽで何もなかったから。そんな状態では誰に会ったとしても、なめられて終わるだけなのです。

自分の武器、実績の作り方については第5章でお話しします。

煩わしい人付き合いは
捨てる覚悟を持て

プライベートで付き合いのある方は知っていることなのですが、私は家族以外誰のことも信用しないというスタンスで生きています。人間だから本当は好きな人たちのことは信じていたいのですが、先読みの癖がついてしまい、もし裏切られたときに人一倍落ち込むことも見えていて、そうすると結構な時間をムダにしてしまうので、最初から誰のことも信用せずに生きています。だから、知り合いはたくさんいますが、自分のことをなんでも話せる友人は本当にごくわずかです。広く浅くよりも、狭く深くの関係が自分にはとても合っているんです。

性格が合わなかったり、嫌味を言われたり、ちょっと意地悪なことをされたり、マウントをとられたり、そんな人のことも、独りぼっちは寂しいからとママ友、お茶する友だち、飲み友だちとしてなんとなくキープしている人、いませんか？

相手に気をつかいながら無理をして付き合うのって時間のムダでしかありません。心の中ではモヤモヤ、イライラしてストレスになるし、そのストレスのせいで、仕事や家事のパフォーマンスも下がるし、何よりなめられて自分の価値も下げています。

友人関係だけでなく、恋人関係もそう。何回も浮気されていても、やっぱり彼がいないと……と、別れずにズルズル関係を続けている女の子、たまにいますよね？「また浮気してるかも」と毎日悶々とし、彼を疑う時間も心の闇も、なんのプラスにもなりません。自分が主人公の自分の人生、自分のことを大切にしてくれない人と一緒にいたら負のオーラがあふれ出て、すべてのパフォーマンスが下がってしまいます。

私は何度も生まれ変わってきましたが、今現在の人生にとても満足しているので、もう大きなリセットはしていませんが、日々の中で小さなリセットボタンはよく押しています。例えば、いくつもあるグループＬＩＮＥ。もう参加する必要はないと感じたら「退会しまーす！」と言って抜けますし、Instagramもあまりやり取りしていない人は季節ごとにフォローを外したりしています。本当にただの整理で、嫌なことがあったとか悪気があるとかはまったくありません。また連絡を取るタイミングがあったらフォローすればいいだけのことだと思っています。リアルじゃないＳＮＳという世界では、それくらいドライでいいと思うんです。

「どう思われるか」ということを気にするより、自分の「どうしたいか」を大切に生きていきたいです。

私は人間関係をドライに考えたことでストレスフリーになり、発想力が高まってい い仕事につながりましたし、何よりとても生きやすくなりました。私以外にも、私がこのようなアドバイスをして実践したことで人生が好転した人を何人も見てきました。人とのつながりって大事だと言われているけれど、距離感も難しいし、依存性もあるし、何かと気になっちゃうし、頭を悩ませること、多くないですか？

人は、群れを好みます。一般論かもしれませんが、今いるグループやコミュニティの居心地がいいとはいえないのに、なぜかなかなか自分から抜けられない、という人は少なくないのではないでしょうか？　でも、ここで「仲間外れにされたくない」「一人はさみしい」と考えるのは損でしかありません。例えば、まわりをイエスマンで固めたいだけのボスの機嫌をいくらとっても仕方ないと思いませんか？

私は、常にノンストレスな生き方を考えて行動するようにしています。なぜって、仕事のことや家族のこと、自分のスキルアップや自分の美容や健康のために時間も頭も使いたいのに、プライベートの人間関係のことなんかで悩む時間がもったいないからです。

「人間関係って面倒くさーい！　一人で過ごしたほうが何かと楽じゃない？」くらいドライに考えてもいいのかもしれませんね。

だって、人間、死ぬときはみんな一人なのですから。

過去を成仏させ
生まれ変わる

よく「人生は1回きりだから後悔しないように生きよう」と言うけれど、そんなことはありません。自らリセットボタンを押せばいつでも、どこでも、何回でも生まれ変われるし、違う世界を楽しめるんです。過去をスパッと捨てられれば、の話ですが。「諦めずに続けることが美学」の時代は終わりました。石の上にも三年なんていなくていいんです。つらいことがあったらすぐに逃げ出してかまいません。1回うまくいかなかったからといって、自分の人生は終わりだなんてことはありません。10回目くらいに自分に向いているものに出会えるかもしれません。そうしたら、そのときに続ければいいんです。私は、今までさまざまな状況で何十回もリセットボタンを押してきました。何回生まれ変わったかわかりません。でもいろいろなことを経験し、その経験という「装備」のおかげで、生まれ変わるたびに成長できました。時には不安になりながらもたくさんのものを捨ててきました。そうしたら、結果的に大切なものだけが残りました。

昔テレビでやっていた、AかBの扉を突き破る二択ゲームの光景がいつも頭の中にあるんです。Aは次のステージに進める扉、Bは小麦粉まみれになるゲームオーバーの扉。初めてそのゲームに挑戦をしたとき、Bを選んだとします。そのときは、粉まみれになりみじめな思いをしてしまいます。恥ずかしくて恥ずかしくて、逃げたくなるかもしれません。だけど、次こそは！とその失敗を経験として残し、人生をリセットすることで、Aの正解だけを選択できるようになるんです。過去の死んだ人生でBの小麦粉まみれを経験しなかったら、正解がAだと知ることはありませんでした。みじめで恥ずかしい思いをしたことは、決してムダにはならないのです。

「あの頃はよかった」と過去に未練を残さず、次こそは正しい選択をするぞと心機一転、また新しく生まれ変わることが成長につながっていきます。

「俺の若い頃は〜」「昔だったら、こんなことしたらクビだぞ！」なんて、過去をズルズル引きずって説教をしてくる上司は、脳が進化しておらず、時代に取り残された化石。そんな人に何を言われても響かないもの。

「前の会社では、営業成績トップだったんだけどな」と、よかった過去のことばかり自慢げに話す人も、過去に縛られて身動きがとれなくなっているように感じます。こういう人ほど、鼻をへし折る作業をして、今、輝かせてあげたいなって思います。

人生をリセットするとき、過去はなかったことにはできません。その経験があってこその、新しい人生です。なのに、そのうまくいかなかったことを自分で作り上げたストーリーで上書きしてしまう人がいます。例えば、大学を留年したのに留学していたことにするとか、ギャンブルで負債を抱えたのに事業に失敗したことにするとか、彼氏にふられたのに自分から別れたことにするとか……。

過去を引きずらず、スパッと捨てることは大切なのですが、事実をすりかえることはしないでください。次の章で詳しくお話ししますが、自分と向き合い、何が悪かったのかに気づけなければ、次へのステージには上がれません。うまくいかなかった過去の亡霊におびえて生きるのではなく、しっかりと成仏させてから新たなスタートラインに立ってください。

ただ過去を捨て、
人間関係をリセットするだけでは、
本当の意味で生まれ変わることはできません。
極端な話、整形をして顔を変え、
誰も知らない土地で暮らし始めたとしても、
変わったのは表面的なことだけ。
あなたのマインドが過去のままであれば、
同じ過ちを繰り返し、
同じ場所に居続けるだけです。
何十回生まれ変わったとしても、です。
人生のリセットボタンを押す前に
自分の過ちに気づき、自省できるかが、
一目置かれる存在になるカギ。
自分の心と向き合う作業が必要です。

いのは、

か？

第3章

成功しないのは他人のせいです

何者でもないから
スルーされる

なんで私の言うことをみんな聞いてくれないんだろう、なんで私の言っていることを信じてくれないんだろう、なんで私の意見は通らないんだろうと、なんで？　なんで？ばかりになっていませんか？

タレントだったら、なんでマネージャーは私が売れるように動いてくれないんだろう、なんで事務所はあの子ばかり贔屓するんだろう、と自分の実力のなさを棚に上げ、自分に仕事がこないのはマネージャーや事務所のせいだと思い込む。

一般の会社などでも同じで、企画会議でAさんとBさんがほぼ同じ内容の企画を出したとしても、すでにヒット作を連発しているAさんの企画のほうが、認められる率が高かったりしますよね？　たとえ正しいことを言っていても発言力がなければ、大勢の人に届きません。それは、明らかに実績の違いです。営業のアポイントをとっても「忙しいから」と会ってもらえない、後回しにされるのもあなたが何者でもないからです。

まわりが認めてくれないと嘆く前に、自分の力不足を認めることが大事なのです。バカにされたりなめられたりするのは、あなた自身の実力のなさなのですから。

他責思考ではなく
自責の念

本書の大きなテーマである「人生のリセット」。うまくいかないことがあったって、失敗したって、リセットボタンを押せば過去を断ち切りイチから始められるのですが、ここで大切なのが「自責の念」です。

自責の念とは、過去の自分の行いを後悔して自分自身を責めるという意味です。それまでのことを恥じて悔いることです。ただ、過度に自分を追い込むと精神的に不安定になってしまう人もいます。私がここで言いたい自責の念とは、失敗の原因を誰かになすりつけるのではなく、自分の行いに責任を持ってほしいということです。

単にリセットボタンを押しただけでは、同じ失敗の繰り返しになるだけ。「ああ、もうダメだ」「自分は、一生このままかもしれない」「いや、やり直せる」と悩み、迷う時間にも「ドリーム時給」は発生していますから、スピーディーに切り替えつつも、自責の念を抱き、さらに反省がともなわないといけません。

反省をするとき、上司の指示が悪かったから、同僚が協力してくれなかったから、あの人がああ言ったから……と、まわりのせいにばかりしていませんか？　他責思考ではいつまでたってもあなたは成長しないし、生まれ変わることができません。

今から16年ほど前、私がオフィシャルブログを始めたとき、ブログ運営会社のスタッフさんは誰も私に期待なんてしていませんでした。開設した初日はアクセス数がまったくなく、どうしたらアクセス数が増やせるのかを相談しにいっても、「友だちに読んでもらうしかないんじゃないですか？（笑）」と、そっけなく言われたこともありました。

初めて自分の意思で始めたことだったので、諦めるわけにはいきません。正解はわかりませんでしたが、一人でも多くの人に注目してもらえるように、毎日試行錯誤しながら書き続けました。すると、早い段階でブログを芸能ニュースに取り上げてもらい、あっという間に1日何十万件というアクセスが来るようになったのです。

注目されるようになると、最初はそっけなかったスタッフさんが別人のように優しくなり、毎日のようにお仕事依頼の連絡をくれるようになりました。

しかし、そのとき、「あんなに冷たかったのに、アクセス数が増えたらコロッと態度が変わって嫌だな」とは不思議と思わなかったのです。ではどう思ったかというと、「自分の力が足りなかったから、私の話に耳を傾けてもらえなかったんだ」と、自分の力不足を反省しました。そして、ビジネスとは、自分だけでなく一緒に仕事をする相手にもメリットがあるようなことをしなければいけないんだと、大事なことを学んだのです。

誰かに邪険にされたり、何か意地悪なことをされたときも同じように考えるようにしていました。「あの人、性格悪いな」で済まさない。多くの人は、ただ性格が悪いからそういう態度をとっているわけではなく、その人が認めている人に対しては、きちんと応対しているはずです。私がちゃんとした扱いを受けるに値しない人間だからなめられるんだと、反省していました。もっと誰も手の届かないところまで突き抜けて、一目置かれる人間にならないと！と、そのたびに自分を奮い立たせることができました。

チャンスを
活かせるのは
自分の実力だけ

第2章では、人脈づくりに励み、そこで頼み込んで得た仕事は〝借り〟になるので、やめたほうがいいという話をしました。もし、仕事をいただいたのならば、しっかりと相手にも利益を出すべきだということも。

たとえ実績がなくても、チャンスを与えてもらうことはできますから、それをどう活かせるかはあなた次第なのです。

例えば、美容師になりたての人は顧客がいないので、予約サイトからの新規のお客様に入ることがあります。そこで、お客様に気に入ってもらえる好みのヘアスタイルを作り、心地よく過ごせるホスピタリティを提供できれば、次の指名につながります。初めての顧客になるかもしれません。スキルをアピールするチャンスをお店側から与えられても、実力が発揮できなければチャンスがムダになってしまいます。お客様に喜んでもらえる仕上がりを提供できるかは、日々どれだけ練習を重ね努力してきたかによります。SNSを試行錯誤して駆使し、一度お店に足を運んでもらえたとしても、技術で満足させられなければ、次につながりません。

芸能人のテレビの出方を見るとよくわかるのではないでしょうか。テレビ局とつながりのある事務所の新人タレントがテレビに出ることが決まるとします。顔と名前を売るチャンスは事務所から与えてもらえますが、そこで「また使いたい」と番組スタッフに思ってもらえるか、視聴者から「また見たい」と思ってもらえるか、そのテレビ出演のチャンスで爪痕を残せるかは、その新人タレントの腕次第なのです。その場に見合った技術や中身がなければ、2回目はない、即終了の世界です。だからずっとテレビに出続けているタレントさんは本当に頭がいいし、努力を怠らないんだと思います。

芸能界が特別な世界ではなく、会社でも、フリーランスでも同じことがあるのではないでしょうか。いつ自分にチャンスが回ってきてもいいように、日ごろから自分磨きをしていますか？　スキルアップのために努力はしていますか？　例えば、資格の勉強をしたり、ジムに行って体を鍛えたり、明日の仕事をイメージして想定される問い合わせやトラブルに備えたり、できることはいくらでもあります。

あなたが、成功しないのは誰のせいでもありません。同期がどんどん昇進、出世して「あいつは、上司に気に入られているから」「運がよかっただけ」と妬むのではなく、真っ先に、自分のほうが実力がなかったんだと改めて感じてください。そしてもっともっと努力をして自分をスキルアップさせ、誰がどう見てもあなた以外適任はいないよねと思われるくらいになって次に挑めばいいのです。

「自責の念」と聞くと難しい言葉のように感じるかもしれませんが、とってもシンプルなことだと思うんです。私が考える「自責」は必要以上に自分を責め、人格までを否定することではありません。うまくいかないこと、アクシデント、失敗したことに対して、まずは自分の責任として受け入れること。自分が間違っていたら「すみません」と謝ればいいし、失敗したら何が悪かったのかを考えて反省する。まわりの人が成功したら「おめでとう」と喜び、自分も刺激をもらいがんばろうというパワーに変える。負のスパイラルではなく、ハッピーのスパイラルのほうがきっとみんなが気持ちいいはず！　羨ましい、妬ましいという感情は捨てることです。

成功してキラキラして見える人だって、陰での努力があってこそだと思うし、表には見せない苦悩だってあるはず。だから、そんな表面だけで他人を判断せずに、人の幸せを自分の幸せのように喜べるような心に余裕がある人でいたいなと私は思います。

一人一人が小さくてもいい、そう意識することで、きっと優しい世界に変わるんじゃないかなって、ここ最近は思っています。

損失額は
人生の授業料

私の事業はすべてがうまくいっているわけではありません。2012年に発売したフルーツ味の青汁は、残念ながらまったく売れませんでした。「まずい！　もう一杯！」のような苦い青汁しか市場になかったので、我ながら斬新!!と自信があったのですが、うまくいきませんでした（涙）。その数年後にフルーツ味の青汁がいろいろな会社から発売され、ブームになりました。このときに、私がやっているビジネスは早すぎても遅すぎてもダメ、時代を読む力とタイミングが重要なんだということを学んだのです。

ほかにも、2014年にそれまで稼いだお金を全額投入して代官山にママカフェを作りましたが、3年半で閉店させてしまったことがありました。

オープン当初、メディアにもたくさん取り上げていただき、連日行列ができるほどお客様に来ていただきましたが、お客様が来れば来るほど赤字になるという、ある意味で奇跡的なお店でした（笑）。

まわりから聞いてはいたものの、自分が子どもを産んでみると、おしゃれで食べ物がおいしいお店には、小さい子どもと一緒だとなかなか入りづらいことを実感しました。子ども連れでも気軽に入れるおしゃれでおいしいカフェが都心にあまりなかったので、これは私がママたちの憩いの場を作らなくては！という勝手な使命感から、このママカフェを作りました。キッズスペースやおむつ替えスペースを充実させ、子どもを遊ばせながらおいしいご飯を食べていただき、束の間ですがママたちにリラックスしてもらいたいなという強い思いがあり、私にとって一世一代の挑戦でした。

金箔で店名を入れたオリジナルグラスひとつに数千円かけたり、おいしいトリュフをフランスから取り寄せふんだんにピザの上に振りかけたり、本当は客席を多く取らなくてはいけないところ客席と同じ広さの大きなキッズスペースを作ったりしたので採算が合わなくなってしまいました。大きな声では言えませんが、それまで貯めていた現金1億円が初期費用と毎月の赤字補填で消えていきました。

そのお店を閉じたとき、私がまず反省した点は、経営というよりも、ママにとって夢のようなお店があったらいいな!を優先しすぎてシステムを作ってしまったということでした。飲食店を経営したことのない知識不足の素人が実店舗ビジネスを自由にやるとこうなってしまうよなと反省しました。

でも、不思議と後悔はしていないんです。ママカフェをやらなければ、都内に素敵なマンションの1室くらいは買えたかもしれない。でも、私にとってはマンションより大切な1億円以上の経験をさせてもらえたからです。

代官山で物件を探しまわり、やっといい物件に出会い契約し、内装もスケルトンからすべて自分好みに作り上げ、キッズスペースをとことん充実させ、食器や家具にもこだわり、オリジナルグッズを作り、システムもメニューも私がやりたいように考えて……。人生の中でとても貴重な経験でした。もし、このとき「もっとスタッフがうまくやってくれたらよかったのに！」とか「なんで誰もこのシステムじゃ難しいよって教えてくれなかったの！」と私が思ったとしたら大間違い。まわりを責めるのはお門違いなのです。すべては私一人の責任ですし、1億円はこの大きな経験をするための授業料だったと思っています。

失敗を恐れていては何もできませんし、失敗をただの失敗で終わらせては、その経験はなんの意味も持ちません。そうならないためにも、この失敗を繰り返さないように、失敗から学んだことを活かしたビジネスで再起しようと思ったのです。

他人に期待しない、すべては自分が選択したこと

自分に自信がないと負の感情ばかり出てくるし、その負の感情が他人にいきがちなんですよね。他人のことは批判できるのに、自分のこととなると甘くなってしまう。だってあの人が……って。

「会社の給料が安いから貯金ができない」「本当はやりたい仕事じゃなかった」「自分が成長できないのは会社のせいだ」……と思っている人がいるかもしれませんが、その会社を選んだのはあなたです。会社やまわりのせいにする前に、自分の選択が間違っていたことを恥じるべきです。

恋愛でもそうです。うまくいかないのは相手のせいだけじゃない。自分の言動はどうだったのかを省みないと、次の恋愛もうまくいかないんじゃないかな。例えば、嘘つきな彼氏、モラハラな彼氏、暴力をふるう彼氏、浮気しちゃう彼氏。それは、もちろんその彼氏が悪いのだけれど、その彼氏を選んだのはあなた自身なんです。友人同士で、彼氏や旦那の愚痴や文句を言っている人たちがいますけど、それって自分には見る目がないですよ〜〜〜!!と大声で言っているのと同じ。愚痴や文句をいう前に、自分自身の見る目のなさを反省すべきだし、自分の言動で悪いところがなかったか気づけなければダメです。その失敗、ダメだったことに気づくことが次へ進むためには大切なことなのです。

嫌なことをされて、あの子にこんなことされた！　ムカつく！って悪口を言っておきながら、その子のInstagramに「いいね♡」を押していたり、次も会っていたりする人も、私には理解できません。縁を切る覚悟でその愚痴を話してくれているなら理解できますし、真剣に相談にも乗ります。だけど、また仲良くなるなら悪口は言わないほうがいいのになって。真剣に相談に乗っている相手の時間も有限だということを考えてほしいです。

そういう八方美人の人って、いざというときに後回しにされがちなんですよね。SOSを発信しても、◯◯ちゃんのほうが仲が良さげだから、きっとあの子が助けてあげるはずと思って、結局誰からも手を差しのべてもらえない状況になりがちです。そういう人に限って「なんで誰も助けてくれないの！」とまわりに怒りの矛先を向けるんです。助けてもらえないのは、普段のあなたの行いのせいなのに。すべては自分が選んだことなんです。

第2章でもお話ししましたが、私は家族以外の誰のことも信用しないスタンスで生きています。裏切られたときに落ち込むことを考えると、最初から誰のことも信用しないという生き方が、自分には合っていました。だから、人間関係に関してはかなりドライなほうだと思います。

つい、あの人はいい人そうとか、あの人は口が堅そうだから秘密を守ってくれそうとか、あの人なら誰かが私の悪口を言っていても一緒になって相槌も打たずに注意してくれるだろう、あの人なら……と、過度な期待をしてしまうものですが、その期待通りにいかなかったら勝手に「裏切られた！」と思ってしまい、落胆は大きいものです。ただ、自分が勝手に「いい人」と思い込んだせいなのですが、それでもその人のせいにしてしまうのは、よくあることではないでしょうか。

人に依存しない生き方をしていると、うまくいかないことがあっても、自然と自分が悪かったんだという考えになるものです。もちろん、まったく信用していないということではありませんよ。ただ、他人に過度な期待をしないということです。最初から期待せずに人と接していれば、たとえ嫌なことがあったとしても、まぁ人なんてそんなもんだよねって、簡単に諦めがついて引きずらないし、逆に少しでもいいことをしてもらうと、思いがけないことなのでこの上ない喜びを味わえるし、幸福感も倍増します。はたから聞いていると寂しい人だなと感じるかもしれませんが、生まれてくるときも死ぬときも、物理的に結局は一人なのです。自分が主人公の自分の人生、誰かに邪魔をされてはもったいないです。自分自身を裏切らないようにすればいいだけです。

人に依存せずに自立し、たまに人と関わって人生に彩りを与えてもらう、そういう考え方が私にとってはベストなのです。

過去の自分を恥じる

自責の念とは少し異なりますが、学生時代のエピソードを紹介しましょう。過去のことはあまり覚えていない私ですが、このことは大人になっても忘れられないことでした。

中学生の頃、転校生で生意気な私のことをいつも目にかけてくれていた学校の先生から、放課後に呼び出されました。

「杏奈は人が話している途中でも、自分の思っていることや聞きたいことがあったら我慢できず、すぐ口に出してしまうところがある。話の腰を折ってしまう。それはよくないことだから、人が話しているときに何か言いたくなっても、一回深呼吸して、話が終わったら質問をするようにしなさい。それは、すぐに直したほうがいい」と言われたのです。

当時はその意味すらわからず、聞く耳も持たず、反抗してしまいました。でも、なぜかその先生の言葉がずっと心に引っかかっていました。

それから数年後、社会人になりさまざまな人とコミュニケーションをとる機会が増えたとき、「あ、あのとき先生が言っていたことって、こういうことだったのか」と、自分の中にスーッと入っていくのがわかった瞬間がありました。気持ちよく腑に落ちたのです。時間はたってしまいましたが、やっと「過去の自分を恥じる」ことができたのです。あー、この気持ちを先生に伝えたい！と、数年ぶりに通っていた学校に先生の連絡先を聞き、電話をかけました。あのときに大事なことを教えてくれた先生は、ご病気で他界されていました。もっと早くに気づいてお礼を言いたかった。

大人になるにつれ、自分の間違ったところを正してくれる人は少なくなっていきます。あのとき、先生が教えてくれたときに、すぐに理解して正した姿を見せたかったと後悔しました。いつか気づくことは大半の人ができることです。いかに早く助言を受け入れ、反省できるかも大事なことなんだなと、そのときに学ばせてもらいました。

「あのとき上司に言われたことが、今ならよくわかる。君もいつかわかるようになるよ」とか、「親になればわかるわよ」と言われることがありますが、何年もかけてわかるのって本当は遅いんですよね。それなのに、「新入社員のときは○○ができなくて、よく怒られたよ。お前もそのうちできるようになるさ」「私なんて、ここまでくるのに5年もかかったから、大丈夫！」と言う先輩たちもいます。間違いや失敗は誰にでもあることですが、それをまるで美談のように話すのは、本来は恥ずかしいことだと思うんです。

失敗したときや、間違いを指摘されたときに理解できていれば、もっとラクに人生が生きられるのに、と思います。時間は有限だから、すべてスピードが命！　いかに早く気づけるかも大切なことです。

「人生をリセット」するには、ダメだった過去を断ち切らなければいけません。ただ断ち切るのではなく、まずは過去の自分を恥じること。ちゃんと、しっかり恥じること。どうしてそんな行動を取っていたのか、過去の自分と向き合って、もう同じ過ちを二度とおかさないと心に誓い、とことん恥じること。その恥じた自分から学んだことを武器として装備したうえで、また今日もリセットボタンを押して新しい自分に生まれ変わるのです。

自分に自信がない人ほど、
まわりの視線に敏感で「今の発言、まずかったかな？」
「あのやり方、間違いだったかな？」とおどおどしがちです。
誰もそこまで気にしていないのに、
常に周囲をうかがって生きていませんか？
一目置かれる存在、頭ひとつ抜きん出る存在に
なるためには、他人の評価に左右されず、
自分軸で生きなければなりません。
今日死ぬ覚悟ならば、二度と会わない人ばかりです。
人の目を気にせず、羞恥心を捨ててください。

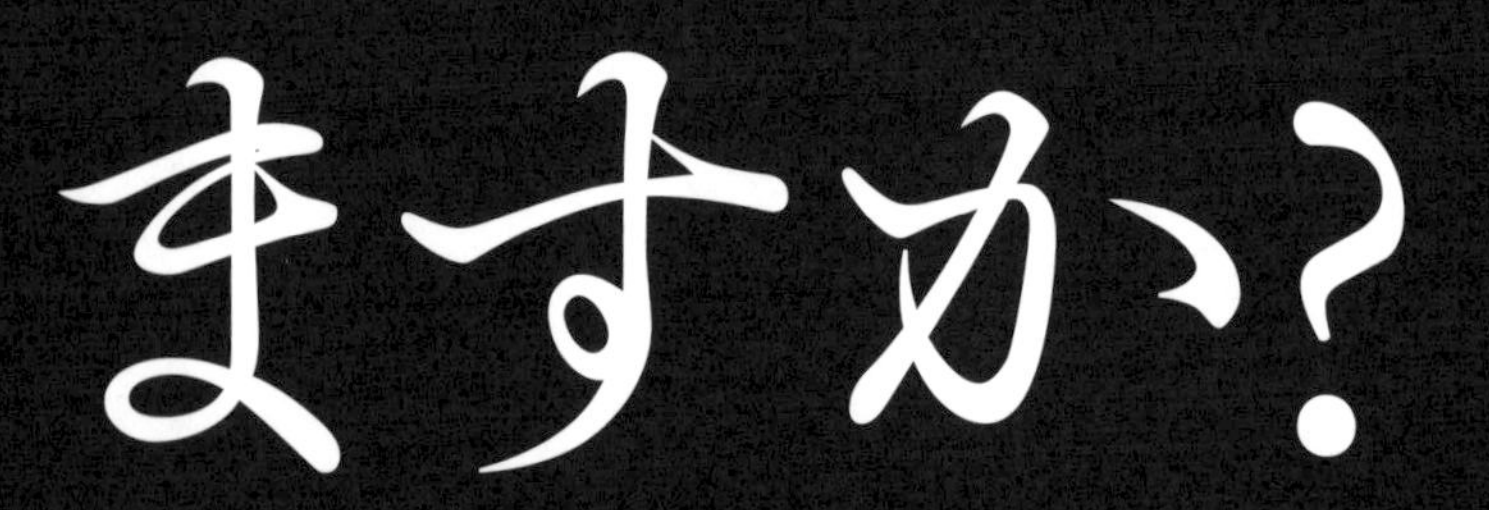

第4章

人の目が気になり

あなたのことなんて
誰も見ていない

最近、「変に思われないですかね？」って言う人がとても多い気がします。ついつい誰に!?って聞き返してしまいますが、身近な人ならまだしも、街ですれ違う人や、カフェで隣の席になった人の目も気にしている人がいますよね。小声でヒソヒソと話しているのを「私のこと、何か言ってるのかな」と自意識過剰になっていたり。

逆にみなさん、そんなに他人のことって見てますか？　よく私が知り合いに爆弾発言っぽい世間話をしているときに、「杏奈さん、誰が聞いているかわからないですよ！」と気にしてくださる方がいるのですが、いやいや誰も私のことなんか知らないし、誰も私のことなんて見てないし気にしてないよ！って言っちゃいます（笑）。

私が他人に興味がないだけかもしれないのですが、本当に他人にどう見られようが、どう思われようがまったく気になりません。今日で最後、二度と会わない人と思って過ごしていると、半径1メートルから外の人たちはきゅうりか、じゃがいもくらいにしか思わなくなります。

大半の人が「いい人だと思われたい」「変な人と思われたくない」という気持ちが強いから、自分をよく見せようと飾ってしまうもの。特に初対面の相手には、いい人の仮面をかぶって接しがちです。

自分は自分、誰になんと思われてもいい、嫌われたってどうでもいいくらいの精神がないと唯一無二の一目置かれる存在になることはできません。何者かになりたい人は、バカにされないようにするのではなく、どんどんバカにしてもらってよくも悪くも話題に上がったもん勝ち！という気持ちになってほしいです。

人を見下したりバカにしたりバカにしたようなことを言ったりする人は、自分が優位に立ちたいと思っているだけ。そういう人ほど、実際は勝てていないんです。

「こんなこと質問したらおかしいかな」「これを言ったら怒られるかな」「誰かの機嫌を損ねちゃうかな」と思うのはムダでしかありません。変に思われる、怒られる、嫌われる……ネガティブなことばかり想像していたら行動に移せないし、ステップアップなんてできません。仮に変に思われたとしても、その瞬間だけ。相手は四六時中あなたのことを考えているわけではないのに、モヤモヤと考えるのってバカらしくないですか？　それに、他人の目を気にして自分の本当の気持ちを押し殺して付き合う関係って、健康的ではないですよね。

ビジネスでは本音と建前を使い分けることが必要と言われるけれど、探り探り話をするのって非効率でしかない。お互いにいい仕事をしたいと考えていれば、周囲の目や評価なんて関係なく、本音を言い合えるはずなんです。

少し話はズレますが、学生の頃って逆にまわりのことが目に入らなくて、「私の彼氏、モテすぎて浮気しちゃうかも」って変に心配する女の子いませんでしたか？　その子にとっては素敵な彼氏でカッコよく見えるかもしれないけれど、まわりから見ると「え!?　キムタクじゃあるまいし！」みたいな会話をよくしていました（笑）。自分の中の評価と他人の評価は違うし、自分の中ではとてつもなく大きな問題でも、他人から見ればちっぽけなことということはよくあること。捉え方は人それぞれだから、気にすることなんてないんです。

人の目を気にするよりも自分のことを第一に考えてください。ご機嫌うかがいをして「こんなこと言ったら、おかしいかな」と考えている時間がムダです。「変に思われる」という邪念を捨て、思い立ったらすぐ行動！が成功への近道です。

他人のことを
気にしている暇はない

他人の視線ばかり気になる人は、自分も他人のことばかり気にしているからではないでしょうか。人生は何度でもやり直せるけれど、時間には限りがあります。それなのに、1日24時間全員平等に与えられた時間を他人のことで埋め尽くしていたら、自分のことが疎かになってしまいます。

ワイドショーやネットニュースには芸能人のゴシップネタがあふれていますが、当の本人たち以外、まったく関係のないことじゃないですか？　仕事関係者はいい迷惑かもしれませんが、それは当事者で話し合って解決すればいいわけだし、みんな他人のどうでもいいゴシップを結構な熱量で話しているから驚きます。赤の他人のことを心配する時間があったら、自分のことにもっと時間を使ったほうが効率的です。

そうはいっても、私もブログを始めた当初、ネットでの批判みたいなものを気にした時期がほんの一瞬ありました。「なんで、何も知らない人にこんなことを言われないといけないのっ……（しゅんっ）」と。でも、よくよく考えてみると、自分の人生が充実していたら匿名でネット上に他人の批判コメントを書くわけないし、知り合いでもない人の記事に自分の意見を書くことだってないし、「まっ、どう考えても私のほうが幸せだし、どうでもいいか！」と気づきました。それからまったく気にもならなくなり、素性の知らない人の意見は、ピンとこないし突き刺さることもありませんでした。

私の中では、いいことも悪いことも同じです。誰に何を言われても「その人に尊敬の念があるか」「その人が幸せか」を常に考えています。そうでないなら、いい意見も悪い意見もすべてスルーです。その人自身が幸せそうで私のことを本当に大切に思ってくれている人の意見なら、ありがたく聞き入れます。匿名の人の中にも幸せな人はいるだろうし、成功者だっているかもしれませんが、匿名で批判のコメントや意見をしている時点で尊敬には値しないので同じです。


人に期待しすぎる人ほど、他人に意見をする人が多い気がします。SNS上で会ったこともない知らない誰かに、悪気もなくアドバイスしている人は、自分のことを棚に上げ、人のことばかり気にしてしまうんですよね、本当に余計なお世話なのに。

まだ何者でもないのに、変なプライドが邪魔をして他人が成功していることを素直に喜べず、少しでも自分と違う人のことを認められないんだと思います。だからついついコメントしてしまう。

それに、他人の言動を気にしすぎる人は、自分の人生を生きていない気がします。ゴシップなど人のことばっかり気にしてる人は、私からするとその時点で何者でもないし、幸せな生き方をしてないと思うんです。裏を返せば、「何者かになりたい人は、

人のことを気にしている暇はない」ということ。がんばっていない人にどう思われようと、気にしなくていいんです‼

ネット社会のことは、私の世代というより、もっと若い世代のほうが大きな問題に捉えがちかもしれませんね。私が学生の頃はＳＮＳのない時代でしたが、あの頃ＳＮＳが存在していたらと思うとゾッとすることもあります。いじめなどもそこから派生することがあるとよく耳にします。ネット社会の中で何か悩んでいる子がいたら、声を大にして伝えたいです！　それはリアルではありません！　顔も出せない不幸な人が妬み嫉みの負のオーラにまみれてストレス発散のためにしているだけのこと。そんなことで悩むのなんて本当に時間のムダです！　ただただ笑いとばしてやりましょう！

他人の視線を気にせず、自分や自分の大切な人のことだけを考える。限られた時間をどう有意義に使うかが大切なことなのに、他人のことで埋めるなんて本当にバカバカしいです。

人と同じでは
パイオニアには
なれない

どの業界においても、先駆者というのは変わり者が多いものです。人と同じ道を歩んでいないから、人とは違う発想が生まれるんです。

今、私たちが手にしているPCやスマートフォンを開発した人も、そんな夢のような機器が作れるのかと言われてきたことでしょう。洋服の通信販売は今ではなくてはならないものですが、きっとはじめは「試着しないで服を買うなんて……」と、拒否反応のほうが多かったはずです。今は当たり前にあるものは、数々の起業家たちによって生まれたものです。他とは違う発想、考えを持ち、己の道を信じて成し遂げてきたのです。

連日、メディアでは海外で活躍するメジャーリーガーの話題が報じられています。日本人がメジャーリーグで活躍するなんて、昔は考えられなかったみたいですが、野茂英雄さんやイチローさんがその道を開いてくれました。当時「無理だろう」という声が多かったと思いますが、そんな外野の声を気にせずパイオニアとして素晴らしい成績を残しています。

他人とは違う発想や意見、行動は、最初はなかなか受け入れてもらえないことが多いけれど、そこで人の顔色をうかがい、自分の考えを曲げてしまっては、その他大勢で終わってしまいます。自分が「これだ！」と思った道を進まないと何者にもなれないのです。他人と足並みをそろえたり、誰かの意見に左右されたりしているようでは先駆者、第一人者にはなれません。

何者でもない人に限って、「それって、うまくいくの?」「絶対、やめておいたほうがいいよ。お金も時間もかかるよ」とマイナスな言葉を投げかけてきます。あなたのことを思って……と言うけれど、余計なお世話なんですよ。その人は、あなたの人生を共に歩むわけでもなく、責任を負うわけではないので、勝手なことを言うんです。だから、自分じゃない100人を気にするのではなく、自分だけを信じて取り組むことが、新しいものを生み出す唯一無二の人になれる気がします。

マーケティングにおいて、新しいサービスや商品をリリースするときに市場に普及していく流れを分析した「イノベーター理論」というものがあります。消費者を「イノベーター(革新者)・アーリーアダプター(初期採用者)・アーリーマジョリティ(前期追随者)・レイトマジョリティ(後期追随者)・ラガード(遅滞者)」と5つのタイプに分類しています。私の場合だと、商品プロデューサーの仕事としては、この中ならアーリーアダプターでいないといけないと思っています。常にアンテナを張り、新しい情報を収集し、そこにメリットや価値があるかを判断してから取り入れる人です。

情報感度は高いけれど、慎重派なアーリーマジョリティの人たちに向けて発信するアーリーアダプターでいようと、ずっと思いながらビジネスをしています。

誰かのマネをするのではなく、マネされる人になるくらいの意気込みがなければ、トップには立てないし、何者かにもなれません。それなのに、なぜか「簡単に1億円稼げる人になる方法を教えます！」みたいな情報商材を買ってみたり、自己啓発セミナーやビジネスセミナーに通ったりする方がいます。

どうやってのし上がったのかを語ってくれるかもしれませんが、本当に有益な情報をホイホイと教える人なんていません。それに、Aさんの成功した方法がBさんに当てはまるとは限りません。逆も然り。Aさんはその方法ではうまくいかなかったから失敗例かもしれませんが、Bさんがやったら成功するかもしれません。人それぞれ環境も違えば、考え方も違うのだから、同じ道をたどっても同じ結果を得られないことは、誰にでもわかるはずなのに……と心配になってしまいます。

答えはひとつではありません。方法は無限大！　ヒントはいくらでもあっていいので、いろんな人の意見を聞いて自分に落とし込み、オリジナルの手法を見つけてもらいたいです。

本書に、「こうすれば1億円稼げる！」「こうすれば絶対に成功する！」という具体的な（そして安易な）メソッドを書いていないのは、こういう思いからです。

見栄っ張り虚栄心を捨てる

今の時代、肩書は「〇〇研究家」「〇〇スペシャリスト」「〇〇アドバイザー」など、名乗ったもの勝ちのところはありますが、私は能力以上に自分を大きく見せることは好みませんし、人にもすすめません。自分を盛りすぎる人は、滑稽だなと冷めた目で見てしまいます。

「能ある鷹は爪を隠す」ではないけれど、本当に能力がある人は拡声器を使ってあれもできます、これもできますと声高に宣伝はしないし、何も言わずにさらっと結果を出すものです。

ただ、時代の流れもあるので難しいところではあります。言ったもん勝ちの人が得をする事例もちらほら耳にする時代になってしまいました。ゼロを１００に盛るのはやりすぎだけれど、10を１００にするのは、その人のやる気次第で嘘から出たまことになることもありえるのでしょうか……でも、私には滑稽に見えてしまいます。

私の青春時代はギャル全盛期。バサバサのひじきのようなまつ毛に太いアイラインを引き、カラコンをしたギャルたちが街にはあふれていました。当時、デカ目に盛るのはひとつの特技で、すっぴんとのギャップがすごすぎる人もいて、整形級メイクなんて言葉も流行りました。モリモリに盛って外見を変えることはできても、中身までは変えることはできないし、いつか正体がバレるものです。まあ、ギャルはすっぴん

がバレても笑いに変えられたけれど、ハリボテの実績がバレた日には嘲笑されること
でしょう。

人に評価されたいと自分の能力以上のことをプレゼンして、後々恥をかくのは自分自身です。プライドが高い人ほど、なめられたくないと虚勢を張りがちです。ウソがばれないようにウソにウソを重ねていくしかなく、つらくなるのは自分。いつバレるかとドキドキして心の健康も損ないます。

人に忙しいと思ってもらいたいからなのかわかりませんが、小さなプライドのためにカッコつける人もいます。ただ友だちとランチするだけなのに「ランチミーティングに行ってくるね」とか、友だちとご飯を食べに行くだけなのに「夜は、会食がある」なんて、言う人もいます。

彼氏に振られたのに、プライドが邪魔をするのか「私から振ってやった。もう付き合いきれないからさ」と、友だちにまで嘘のストーリーに塗りかえて話す人もいます。他人の小さなプライドは俯瞰で見ると本当に滑稽です。

SNSの弊害だと思うのですが、今は小さなコミュニティがたくさんあり、その中で崇められている人がいます。お山の大将を気どり、それほど成功していないことに

気づけていない人もいるのです。誰かと比べたり、人の目を気にしたりする必要はないけれど、自分が今、俯瞰で見てどの位置にいるのかを知ることはとても大切です。

何かにチャレンジしたとき、その結果はどうだったか、できたこと、できなかったことを把握しておくこと。データ化できるものがあれば、より客観的に見ることができます。資格をいくつ持っているとか、顧客が何人いるかとか、データはウソをつきません。

カッコつけたり、小さな見栄を張るなら、誇大広告にならないよう、それを本当にするためにスキルを磨いていきましょう。

知ったかぶりは損をする

私は人との会話の中で相手の受け答えや相槌のトーン、タイミングをかなり見てしまいます。相槌ひとつで仕事ができるか、できないかがわかるようになってしまいました。そんな中、最近、残念だなぁと感じるのが、「わかりません」「知りません」を言えない人です。

自分を大きく見せることにも似ていますが、物知りのほうが好感触だろうと思っているのか、はたまた知らないことが恥ずかしいことだと思っているのか……。「知ってます！」「わかります、わかります」と、話の途中で割り込んでくる人が多いこと！　でも、表情や言い方から知ったかぶりをしているのが丸わかりな人がいます。そんな人にはたまにトラップをかけて、ウソを交えて話すこともあるのですが、それに対しても「それ知ってます！」と返されたときには、何ともいえない残念な気持ちになってしまいます。

知ったかぶりはとても恥ずかしいことですし、自分にとって大きなマイナスになります。知らないことは知らないと言ったほうが得です。昔から「聞くは一時の恥、聞かぬは一生の恥」と言いますよね。「知らないので教えてください」と言うのは、その瞬間は恥ずかしいかもしれないけれど、聞かずにあいまいな知識のままでは一生恥をかくだけ。いらないプライドは捨てましょう。できる成功者ほど、謙虚に自分の無知を認められるし、自分を大きく見せようとせず、知ったかぶりをしないものです。知っていると思っていたことも、違う視点での解釈があるかもしれないし、なんとなくわかったつもりでいたこともあるかもしれない。できる人ほど自分の能力を過信せずに疑う目も持っているから、わかったふり、知ったかぶりをしないんですよね。

私はビジネスを始めた当初、徹底していたことがありました。それは、人の話を聞くときは、仮に知っていることだったとしても「それは知っています！」とは言わず、「へーそうなんですね！（ふむふむ）勉強になります！」と言うように心掛けていました。この人は自分の話に興味を持ってくれていると感じたらどんどんいろいろなことを教えたくなるし、可愛がってあげたくなるもの。

さらにひとつ加えるならば、メモとペンを片手に「すみません、質問いいですか？」と探求心をアピールしたりもしていました。知らないことは悪いことではないし、むしろそこから自分が知らなかった新しい知識、経験が増えていくので楽しみに思っていました。知っていることだったとしてもいろんな角度からの視点もあるし、私の知識が間違っているかもしれない、「知っています！」と言う言葉で、学べる場を自分でなくしてしまってはもったいないと感じていました。「知らない」を徹底すれば、自然とまわりから手を差しのべてくださったり、教えてくださったり、助けてくださったり、そんなことが多々ありました。

ちなみに、女だからとか、若いから何も知らないだろうとかいうことを理由に、上から目線で「君、これ知らないでしょ」と言ってくるような人は、無視してかまいません(笑)。

初顔合わせはオーディション

自分でビジネスを始めたばかりの私は、初対面の方と接するときは、常にオーディションだと思うようにしていました。10代の売れないタレント時代はオーディション三昧だったので、いかに審査員にインパクトを残せるかが重要だということを知っていました。だから常に勝負だと思って臨んでいましたね。何百人、何千人の応募があるオーディションでは、まわりと同じような自己紹介をしていても、印象に残らないものです。その経験が、ビジネスで活かされました。

初対面では相手の出方を見て聞き役になりがちだけれど、自ら口火を切ること。自分を取り繕おうとするよりも、相手の懐にすっと入り込むことで、コミュニケーションがスムーズにでき、商談もまとまりやすいというのが経験上のお話です。

私がよくやっていたのは、自分の失敗談をためらわずに話すこと。常に過去の失敗、恥ずかしい話を2～3個用意していました。何年も前のことで、自分の中で吹っ切れていることなど、すべて真実ではなく多少盛って話していましたね。

「住谷さん、初対面の私にそんなことまで話していいの!?」と、話した相手の方は毎回驚いてくれていました。適度にインパクトのある話をすると、自分に心を開いてくれたと思っていただけるのです。例えば古い話でいうと、壮大な詐欺にあったこととか、とある会社にギャラを３０００万円未払いにされたこととか、競合会社から恨みを買って監禁されたこととか（笑）。

「これ、誰にも話してないんですけど……」と内緒話っぽさを強調しつつ、多少過激な失敗談をフランクな感じで笑いを交えて話すのが定番でした（笑）。内容が内容なので悲壮感あふれる話し方ではなく、軽いノリで「昔のことなんですけどね。今は乗り越えて楽しくやっていますっ！」と話していましたね。

失敗談を初対面の相手に話すことで羞恥心がなくなり、自分自身も開放されて人の目が気にならなくなっていきました。相手も「この人、話しやすいな」と思ってくれていたそうです。

失敗したときは人には言いたくないくらい恥ずかしいけど、時間がたてばその恥ずかしい気持ちは薄れていきます。そんな出来事をネタにできたら最強!! それを人に笑いながら話すことができたならもっと最強!! 聞いているほうも他人の失敗談なんて世間話くらいのものです。

失敗して恥をかいた分だけ小話のネタが増えたと思えばいいし、ネタを披露したら相手から信頼してもらえ、自分のポイントが上がる。何ごともプラスに転換すること。どんどん失敗して人生経験を増やし、人間力を上げていきましょう！

初対面だから自分のことは知らないだろうと知ったかぶりをしたり、虚勢を張ったりするのは、後で苦労するだけ。生まれ変わり、新しい自分になって挑んだとしても、まだ何者でもないのなら「よく見られたい」という気持ちは捨てたほうがいいです。自分を大きく見せるのは、悪手でしかないのです。

一対一ではなく、数人を相手にする場合、その中で地位のある人だけに向けて話をする人もいますが、全員平等に目を向けて話をすることも大切です。何者でもない自分が、優劣をつけるなんておこがましい。その人の肩書によって、媚を売ったり相手によって口調を変えたりする姿は見抜かれてしまいます。

そういう下心は、得てして裏目に出るものです。地位のある人は、丁寧に扱われたりちやほやされることに慣れています。むしろ、そうではない人にも同じように接することが大事です。私が無名だった頃、知名度の高い俳優さんなどと一緒にいるとき、私にも対等にやさしく接してくれた人のことは、今でも覚えているし、いい人として印象に残っています。そのときの経験から、私は人の地位によって態度を変えてはいけないと肝に銘じています。

二度と会わないと思えば
羞恥心も捨てられる

オーディション三昧だった売れないタレント時代、みんなと同じようなぶりっこ系の自己PRで挑んだら、ほぼ不合格でした。こんな仕事辞めてしまおうと、最後と決めていたオーディションでは、もうどうにでもなれ！と吹っ切ってX JAPANのYOSHIKIさんのモノマネで髪の毛を振り乱しながらエアードラムを披露しました（笑）。今思い出しても笑っちゃう光景です。しかし、そのオーディションで「君、おもしろいね！」と合格し、それから立て続けに番組が決まるようになりました。

芸能界に限らず、就職、転職活動でも同じだと思います。面接で隣の人と同じような志望動機を話し、自己アピールをしても埋もれてしまうだけ。マニュアル通りの受け答えをしても、百戦錬磨の面接官には刺さらないもの。これって営業職も同じですよね。自社の商品をアピールするときに、他社とは違うインパクトを残せるかが大切だし、話を聞いてもらうためにいかに短時間で心を開いてもらえるかということもカギ。

相手との壁を作らないためには、恥ずかしさ、羞恥心を捨てること。相手にどう思われるか気にしすぎないことです。とはいっても、人の目を気にしたり、いい人だと思われたいと邪念が出てきてしまうもの。だから私は、「この人と二度と会わない」と思って接するようにしています。この先の関係を考えるから、嫌われたくないと当たり障りのないことを言ってしまいがちです。今日死んで、明日を生きるのだから、「今日で最後！」と思えば、恥も外聞も捨てられるはずです。

今、人生のリセットボタンを押し、
生まれ変わったとして、あなたは何をして
生きていきたいですか？ 何ができますか？
ここまで何者でもない人は実績を作れと
言ってきました。その実績を作るためのヒントを
この章ではお伝えしたいと思います。
私がくすぶっていた時代とは違い、
これをすれば絶対に成功するという
鉄板のルールは残念ながらありません。
起業するだけが成功を手にすることでも
ありません。しかし、昨日よりも自信を持って
ラクに生きていくためのマインドは、
今も通用すると確信しています。

を

すか？

第5章

好きなこと仕事にしたいで

こだわりを捨て
ゼロから出発

どんなことでも失敗する可能性はあるけれど、とにかくやってみることが大切です。チャレンジしてみてたくさんの経験をすることが、自分を成長させ、未来の勝敗を分けると思っています。

「今日死んで、明日を生きる」

勘違いしてほしくないのは、失敗したから諦めて死ぬのではなく、「今までの自分とさよならして、明日から新しい人生を歩んでいきます」と、自分の意思でその日を決めてほしいのです。そして、第2章でお話ししたように、それまでの過去を捨て、真っ白なキャンバス地に戻す作業をしてください。第3章でお伝えした「自責の念」を持ち、ただ過去を捨てるのではなく、自分のどんな言動が失敗につながったのか原因を究明してください。そしてそれまでの失敗を糧にしてください。

ようやくここであなたは新しい自分になれるのです。重たい鎧を脱ぎ捨てゼロの状態になったら、まずはこれまでとは180度違うことをしてみましょう。せっかくゼロにしたのですから、今までと同じことをしていては、何も変わりません。「私は○○な人間だから」というこりかたまった考えも捨ててほしいのです。

そうやって「私って、○○なタイプじゃないですか？」という人ほど、自分のことがわかっていないし、俯瞰で自分を見ることができていない。自己分析できている風に思っているかもしれませんが、自分のことを何もわかっていないのです。

例えば、おしゃれな友だちと洋服を買いに行ったとして、「これ、似合うんじゃない?」とすすめられても、「私、この色は似合わないんだよね」とか「この形の服は太って見えるから着ないんだよね」とこりかたまった思考で試着さえしない人がいるとします。その思考がすべての分かれ道なんです! 着てみたら意外と似合うじゃんっていう新しい発見があるかもしれないし、やっぱりこの色は似合わないんだと再確認できるかもしれない。トライしてみないとわからないことって世の中にはたくさんあるんです。黒しか似合わないと決めつけず、赤やみどり、黄色、オレンジ……と何色も試すことは、経験なんです。10色試せば、10個分の経験ができ、可能性が広がります。幸せになれる可能性の母数が増えるのです。

ビジネスでも同じです。「私って〜」と決めつけていると、向き不向きもわからない。実力がないからできないんじゃなくて、やらないからできないのです。頭のこりをほぐして、こりかたまった考えを一度リセットしなければ、今の時代は生き残れません! とにかく柔軟性が大事なのです!

昔、従業員に、「社長は指示がコロコロ変わるのでついて行くのが大変です」と言われたことがありました。コロコロ変わるんじゃなくてコロコロ変えているんです。やってみてダメだったことは瞬時に違う方法で試してみないとわからないからやり方を変えるんです。それでダメだったら、またさらに違うやり方を考えて変えるんです。トップに立つ人間はむしろコロコロ考えを変えてこそだと私は思います。

そして、私は人生をリセットし生まれ変わった時点で過去のことは記憶から消去しているので「あのときは、ああ言ってましたよ」と言われても、あのときと環境も状況も違うのでまったく参考になりません。なので、過去に言ったことと異なることを言うなんて、当たり前にあります。３年前、５年前と同じ考えでは時代から取り残されてしまうと思っていて、常にアップデートした脳を持っていないと成功者にはなれません。

他人の意見に振り回されてほしくないし、どうでもいい人からのアドバイスはスルーしていいけれど、自分が信頼できる人、尊敬できる人の考え、アドバイスを一度は受け入れられる柔軟性を持ってほしいです。新人教育をしている中でも、私の話をしっかりと聞いて、最初は不可能だと思ったことも一回受け入れて挑戦している人は、成長スピードがとても速いです。聞き入れるだけでなく、ひとまず行動に移してみる。「即行動」が大切なんです。

チャンスの神様には
前髪しかない

「チャンスの神様には前髪しかない」

これは、私が大好きなギリシャ神話の、カイロスという神様からきている言葉です。チャンス（機会）はすぐに捕らえないと後からつかむことはできない、常に準備していることで、チャンスがきたときにすぐに行動できるという意味です。私は小さい頃からこの言葉がずっと頭の中にあります。迷っている時間は、ムダ。迷い、悩んでいる1年、1日、1時間にも「ドリーム時給」の損失が発生しています!!

自分にはまだその実力がないと、タイミングをうかがっている間にほかの誰かがチャンスの前髪をつかんでしまうかもしれない。ためらわずにキャッチしてください。やらぬ後悔より、やる後悔！　即行動をすることで、たとえ失敗したとしても、落ち込む時間がないくらい早く切り替えて、「はい！　ダメだったから次！」と、リセットボタンをポチッと押して、また新たな人生をスタートさせるのです。

しかし、「〇〇をしたい」と言いながらも、「今はまだそのときじゃない」「この仕事が落ち着いてから」「もう少しお金がたまってから」と、何かと理由をつけて、夢に向かっての即行動ができない人が多い気がします。

ちなみに、肖像で描かれるイカロスには、本当に後頭部の髪の毛がありません。

これは仕事だけでなく、結婚でもよくある話です。特に男性は、「経済的に安定してから」「転勤があるかもしれないから」「昇進してから」と、何かと理由を作って先延ばしにしている人の話をよく聞きます。結婚する意思はあるのに、なぜか自分の中で勝手な目標を作り、それを掲げている。単にまだ結婚という世界に踏み込む勇気がないだけかもしれませんし、もっといい人が現れるかもと思っているのかもしれません。理由は人それぞれですが、それって全部言い訳ですよね。

いつまでも相手が待ってくれるという変な自信があるのかもしれませんが、「いつか」と先延ばしにしていると、ある日突然、別れを切り出される可能性もあります。特に女性は、物事を冷静に見ています。このタイミングで結婚がない相手ならもういいやって次に進む決心をするかもしれません。けど、子どもができたら、たいていはそれがきっかけとなって籍を入れることになる。それはとても幸せなきっかけですが、その前に愛情というきっかけで決意してほしいのが女性のホンネです。

話は逸れましたが、ビジネスにおいても、そのきっかけを待ち続けてしまっている人がいるんですよね。きっかけを待っている間にチャンスを逃してしまうなんてもったいない。

若い頃は時間を持て余して、まだまだ大丈夫と思いがちだけれど、どんなことにも期限というのがあります。ずっと「人生、何度でも生まれ変われる」と言ってきましたが、旬を逃してしまうと、本来うまくいくはずだったことでも失敗してしまう可能性が高くなってしまいます。残りの人生の中で、〝今日が一番若い日〟なんです。思い立ったが吉日。もっと早くに気づくべきだった！と後悔する日が来ないように、私は今を生きています。

過去に無名だった私がいきなりブログで実績を残せたのも、ブログを始めたタイミングが早かったからだし、私がタレントプロデュースのはしりと言われているのも、まだどのタレントもやっていないときに商品のプロデュースを始めたからというのが大きいです。実力ではなく、ただタイミングが早かったからだと思っています。あの時代にすぐに決断せずに、勉強してお金を貯めて、自信がついたら始めようという考えだったら、今の私はないと思います。

例えば今、イチからYouTuberになって、一攫千金を狙おうと思っている人は、相当がんばらないと難しいですよね。それは誰もがわかることだと思いますが、私が今言っていることは、まさにそういうことなのです。誰もやっていない、これからどうなるかわからないことに賭けられるか賭けられないか。素早くチャレンジし、早くモノにした人には、チャンスをつかみ取る権利が与えられるのです。

肩書は後からついてくる

芸能プロダクションに入った10代そこそこの頃、当時の事務所の社長との面談がありました。「芸能界での目標は？」と聞かれたときに、「金スマの後ろに座っている赤い衣装を着ている人みたいな仕事をしたいです」と答えました。社長は無言になり、ポカーンとした顔で私を見ていました。普通は、CMに出たいとか女優になって月9に出たいとか言うらしいのですが、私は叶いそうにない大きな夢を恥ずかしげもなく他人に話すことが滑稽に思えて仕方がない、かわいげのない子どもだったので、現実的に可能そうなことしか夢として人に語れなかったのです。

CMやドラマにメインで出られるほどの容姿を持ち合わせていないことは自分でもわかっていました。その頃から、常に自分のことを俯瞰で見る術は無意識下で身についていたのかなと思います。

ただ、10代の頃の私は、他人の目を気にする系女子だったので、自称タレント女になってしまったら陰で大笑いされる！と、本気で思い込んでいました。だから、自称タレント女にだけはならないぞ！と強く思っていたのです。

今思い返すと、そこまで他人にどう思われるかなんて気にしなくてよかったし、そこまで他人は私のことなんて気にも留めていなかったと思うし、他人の目を気にしすぎて自分を出せずにいました。この経験があったからこそ、第４章の「人の目を気にするな」と言えるのだと思います。

ちなみに、自称タレント女とは夜の街で、テレビや雑誌で見たこともないのに、他人に「何してる子なの？」ときかれたら「モデルです！」とか「芸能やってます！」とか自信満々に、言ったもん勝ちの肩書で自己紹介する人のことです（笑）。肩書は、相手が決めるもの!! 見て気づかれなかったら、芸能人でも何でもありません。

夢を持つことも、それを人に語ることも素晴らしいことなのですが、せめて夢を追っている間は、夢を夢として語るべきです。夢の途中なのに、もう叶った気で他人に肩書だけを語り出すと、人間は一気にうさんくさくなります。

今は、自ら「○○研究家」「○○アドバイザー」と名乗れば、それが肩書になってしまう世の中ですが、それが必ずしも本当の成功とは結びつかない気がしますし、順番が逆なんじゃないかなと思ってしまいます。周囲が認める能力があってこその肩書だと思うからです。

誰かの目に留まる成果を出し、実績を積んでいくことで、自分がいないところで「あの人に、仕事を頼みたい」と名前があがるようになるものです。例えば、クリエイティブの業界では、トレンド感を取り入れつつ肌をきれいに見せてくれるメイクならヘアメイクの○○さんだよね、鮮やかな色が特徴的なアーティスティックな写真ならカメラマンの○○さんがいい、繊細なネイルアートを丁寧に短時間でやってもらうならネイリストの○○さんにお願いしたい……と指名が入ります。一般企業でも、パワーポイントでわかりやすい資料を作ってくれるのは○○さん、商品のポップづくりは○○さんがセンスいいよねと、「○○なら誰」と言われる人がいるはずです。

評価されたいから何かをするのではなく、地道にやっていたことが評価され認められるほうが、断然素敵です。肩書にこだわって実力がともなわない、中身が薄っぺらな人にはならず、肩書は相手に決めてもらいましょう。

何ができるかを明確にする

「好きなことを仕事にしたい」という人は多いのですが、私は無理に好きなことを仕事にしなくてもいいと思っています。それよりも、「自分に向いている仕事は何か」を探すことのほうがずっと大事です。

私は、必ずしも起業して経営者になれとか、独立して成功しよう！とかいうことをすすめているわけではありません。例えば、誰かをサポートする力に優れていて、二番手ポジションのほうが力を発揮できる人も多くいるでしょう。

まずは自分を俯瞰で見て、何が向いているのかを知る作業から始めてみましょう。好きではないけれど得意なこと、稼げることがあるはずです。転職の採用面接などでも、「なんでもできます！」と言うよりは、自分に何ができるかを明確にするほうが有利です。できることで力を伸ばして実績を出し、自信を持って次のステージへ進むのです。

「できること」は趣味の延長線上でもいいですし、日常生活の中でみんなが当たり前のようにやっていることでもいいのです。主婦なら子どものお弁当づくりを楽しんでやっていて毎日写真に撮っているとか、子ども服や小物づくりが上手でママ友から教えて！と言われることなども、その人にとっての「できること」「武器」になります。

私の知人にもＫ－ＰＯＰにはまってから韓国通になり、韓国の最新情報なら誰にも負けないというくらい韓国に詳しくなった人がいます。もともとは仕事にしたくて始めたことじゃなくても、「韓国のことなら〇〇さん」「お弁当づくりのことを聞くなら〇〇さん」と、最初に名前があがる人になれば、それが自信につながります。三番目くらいではまだまだです。SNSで活躍している人の多くは、美容、ダイエット、作り置きおかず、お出かけ情報など、何かひとつのことを突き詰めている人が大半です。

ただし、趣味から仕事にするには、自己満足で終わらせないこと。この情報を発信することで誰にどういうメリットがあるのか、誰の役に立つのかという視点を持つことで、実績が積み重なり、稼げることに変わっていきます。

私の人生を変えたもののひとつがブログです。最初はまさか稼げるなんて思ってはいなかったし、ブログでのノウハウを持っていたわけでもありません。今みたいにこう書けば売れるというマニュアルみたいなものもなく、完全に手探り状態でした。

最初は日々の料理ばかりを投稿して、料理ブログのような感じになっていましたが、企業からの依頼で化粧品紹介の記事を書くという仕事を受けるようになってからは、見え方の工夫などもするようになっていきました。そういう企業のPR記事では、商品を持ってニコッと笑った顔のドアップ写真を掲載するように指定されるのが定番なのですが、何回もやっていくとつまらないし、PV数も商品の売れ行きも伸びなくなっていくことに気づきました。今はInstagramを使ったPRが多いけれど、同じような写真、同じような文章が並んでいると、普段から見ているフォロワーには「またか……」とわかってしまいますよね（笑）。冷めちゃうというか。

なので、自分なりにどういう見せ方をしたらブログの読者さんのタメになる情報を発信できるのかを真剣に考えるようになりました。例えば、PRしたい商品を単体で載せるのではなく、ほかの愛用品との違いがわかるように、いいところ以外にも自分で感じたマイナスなところを正直に掲載するなど、試行錯誤して企業さんからの依頼内容＋αを考えるようになりました。1記事だけでの宣伝ではなく、何日もその化粧品を使用してみて、その変化をストーリー仕立てにして掲載するなど、読者さんが知りたいことを考えるようになりました。すると、「住谷さんが掲載してくれた日は売上がこれくらい上がりました！」といった報告をいただき、繰り返しお仕事をいただけるようになっていきました。

ただ料理写真を載せたいという自己満足でブログをやっていたら、今の私はいないと思っています。ブログの読者さんに対してもそうですし、仕事をくださった企業の方にも喜んでもらえる記事を書くという強い意識を持ったことが、セルフプロデュースができるようになったきっかけでもあります。

心の健康は3つの軸で支える

好きなことを仕事にして富を得られる人は一握りです。好きなことで稼げたら素敵ですし、そうなれたらラッキー。私は、10代の頃から自分を俯瞰で見て、特に秀でた能力もないし、やりたいことでお金を稼ぐのは難しいだろうと気づいていました。だから、好きなことで稼ぐことにこだわらず、違う方法を探したのです。

仕事において、体の健康だけでなく心の健康を保つことも大切だと実感し、自分自身がハッピーに働ける〝3つの軸〟を持つことにたどり着きました。1つ目は社会的に認められる地位や肩書。2つ目はお金が稼げる仕事。3つ目は精神的に幸福度が高い仕事。例えばですが、WEBデザイナーと名乗り、まだ駆け出しでそれだけでは生活が成り立たないので、すきま時間でデリバリーの配達員としてお金を稼ぎ、YouTubeで好きなことをテーマに動画配信をするというようなことです。

私はこの3つの軸を年単位で変えていき、バランスを保っています。そのために、市場のリサーチをするなど準備は怠らず、常に種まきもしています。

給料はいいけれどやりがいを感じられないといって転職を考える人もいますが、突出した才能がないと自覚しているなら発想を変えるのも手です。お金になる仕事はキープしつつ、やりがいのある副業を持てれば、人生が豊かになり心がラクに生きられると思います。すべての仕事にやりがいを求めるのはハードルが高いので、社会的、金銭的、精神的な幸福度を別々のことに分散させればいいのです。

何者でもないなら、期限を決めてお金を貯めること

可能性を広げるためにお金は必要なもの。だから、本気でやりたいことがあるのに資金が足りないからどうしようと悩んでいるなら、まずは期限を決めて資金を貯めることです。稼ぐ手段はなんでもいいと思うのですが、ダラダラ続けるのではなく、1～2年と期限を決めて要領よく目標額を稼ぐこと。ただし、注意点があります。まだ何者でもない時期は、関わる人によって今後の人生が左右されます。自分をしっかり持って人に流されず、目標だけを考えて仕事をするのです。

例えば、夜の繁華街などでのアルバイトは、普通の生活をしていたら出会えない地位の方と出会える機会が増えますが、それを自分の手柄かのように自分の人脈だと勘違いしてしまう人もいます。地位がある人、著名な人は、娯楽としてその場に来ているわけで、どんなにその夜の世界で仲良くなったとしても、昼間のビジネスにおいて対等に向き合える人脈にはならないです。

出会いの場がそういう場所なのに、著名な人たちと知り合えたことで、その人たちと自分も同じステージにいるという錯覚し、勘違いした脳になることが一番怖いです。なので短期間でお金を稼ぐためのアルバイトだったとしても勘違い脳にならないような場所で地に足をつけて働くことをおすすめします。

まずは、自分は何ができる人間なのかを確固たるものにしましょう！

マニュアル人間に ならない

よく、どうしたら努力を継続できるんですか？と聞かれることがあるけれど、私は同じことをずーっと続けているわけではありません。仕事って、いい意味でゲームみたいなもので、ひとつの目標をクリアしたら環境や見える景色が少しずつ変わっていくから、同じことを続けている感覚はないんですよね。進んでいくたびにノウハウや自信という武器が増えて、新しい自分になっている。そこに新しい手法、技術、時代に合った考え方が備わり、さらにバージョンアップしていくんです。

もしあなたが会社で毎日が同じような仕事の繰り返しと感じているなら、それは、あなた自身の中に目標がないのかもしれません。ひとつ仕事を終えるたびに、「よっしゃー!!　○○が身についた!!」という気づきもないのかもしれません。同じことの繰り返しのようでも、次はこうやったらもっと速くできるかもしれない、もっとこうしたらよりいい結果が出せるのかもしれない、という工夫が足りないのかもしれません。

私の会社でも、「こういうキャンペーンをやったら集客につながると思うのですが、やってみてもいいですか？」と、私に許可をとったらすぐ行動に移すスタッフがいます。「これやっておいて」と言われて、「はい、わかりました」とやる人がほとんどの中、自分でアイデアを出し、自分がラクをするためではなく、会社の利益につながるものを提案してくれるスタッフで、私は一目置いています。何かあれば彼女にすぐ相談するし、もちろん給料も喜んでアップしてあげようと心から思います。指示されたことを忠実にやってくれる人もありがたいのですが、自分のアイデアをプラスして提案できる人ほど、キャリアアップしていくように思います。

私が商品プロデュースを始めた頃も、日々試行錯誤の連続でした。当初は、世の中にないものを作るぞ！と意気込んでいたのですが、いろいろと経験を重ねていくと、今市場にあるものを自分のアイデアでよりよく変えて販売するほうが売れるということに気がつきました。というか、そのやり方が私には合っていた、ということですね。自分で経験して、ちょっとした失敗をしたり、ちょっとした成功を収めたりと、人から聞いた話ではなく、自分でやってみて、自分の目で確かめて、自分の感覚で軌道修正していくことが大事だということを知ったのです。

成功者の失敗談を聞いて、これは間違っている手法らしいからやめておこう、という思考の方がよくいますが、それはもったいないです。その成功者は、そのやり方ではうまくいかなかったかもしれませんが、あなたがやれば成功することだってあるし、その逆もあります。成功者がこうやってうまくいったんだということをやっても、あなたがやったら失敗するかもしれないのです。

人は、それぞれ持っているものが違います。生まれ持った能力もそうだし、感覚もそう。育った環境だって違う。だから、成功する方法も当たり前に違うんです。これはこうだからと決めつけて間口を狭めずに、たくさんの方法でチャレンジする。やっていくうちに絶対に自分にいい方法が見つかるはずです。

Aさんにできて、なんで自分はできないのだろうと悔しがったり羨ましがったりする前に、能力があるAさんと同じ結果が得られるように、あなたは死ぬ気で努力をしましたか？　Aさんが3時間で軽々とできることがあったとして、自分はそれができないのなら、寝る間を削って丸一日かけてでもやりきって同じ結果を出せばいいのです。その努力もしないで、「あの人には勝てない」と諦めるのではなく、結果を出せるように時間や手間を惜しまないこと。同じ時間でできることを考えるのではなく、できる人と同じ「結果」を求めましょう。それができるかできないかで、この先の人生が変わっていきます。

誰かと比べて自分に能力がないんだと落ち込むよりも、自分にはまだ伸びしろがあるんだと考えて、血を吐くほど努力するべし！

仕事においては
いつだって対等

「人脈なんてくそくらえ！　借りを作るな！」というのが、私のポリシーです。ですから、プロデュース業も、企業に自分から「これを作りませんか？」と持ち掛けることが多いです。「仕事をいただく」という考え方だと、いつまでも「あのとき、お仕事いただいたから……」と過剰に低姿勢になりがちです。逆に、「仕事を受けてあげた」と傲慢になる人もいます。できれば、上下関係なしに対等でありたいのです。

ビジネスにおいて「貸し借り」というのは出てきてしまうものですが、自分から借りを作らないほうがいいと思っています。もし、借りを作ったなら仕事で必ず返すこと！　感謝の気持ちは持ちつつ、「私がこの会社を大きくするんだ。売上を何倍にもするんだ！」という強い気持ちで臨むべき。

私は「○○を作りたい」とアイデアがわいたときは、入念にリサーチをして組みたい企業を選んでいます。本来なら「一緒に仕事をしてください」とお願いする立場ですが、低姿勢になりすぎず「必ず結果を出します」とお互いの利益になることをしっかりとお伝えするようにしています。これまで数々のプロデュース商品があり、結果を出してきたからこそ言えることのようですが、実績がない人でも「結果を出す」という強い思いこそ大事なのです。

芸能界だけでなく、
経営者、プロデューサーとして仕事をしている中で
大勢の人と出会ってきました。
ありがたいことに
多種多様な企業の人と接する機会が多く、
私自身、学ぶことがたくさんあります。
成功している人たちには共通点がありますし、
うまくいかない人にはそれなりの理由があると
肌で感じてきました。
この章では、そんなデキる人の傾向から、
すぐに実践できる振る舞い方をまとめました。
人生は何度でもやり直せますが、時間は有限です。
いかに早く自分の欠点に気づき、
アップデートできるかがカギとなります。

に
ますか？

第6章

学べる人
なれてい

今日から使える！

仕事がデキる人の8カ条

1. 質問には結論から答える

2. 会話を「でも」から始めない

3. 注意されたら感謝する

4. 人の話の腰を折らない

5. ノートとペンでメモをとる

6. LINEは即レス&ラリーを止めない

7. 素直に「知らない」と言える

8. 説明は過剰なくらいでいい

従業員を抱える立場になってみて、ちょっと尖った若いスタッフがいると「この子、もったいないな。もっと素直になればいいのにな……」と思うことが多々あります。自分を大きく見せようとしてなんでも「知ってます。わかります」と知ったかぶりをされると、「じゃあ、ご勝手に」と突き放したくなるものです。だからといって、媚を売る必要はありません。

まだ何者でもない人にとって、学ぶ機会が多ければ多いほど武器が増えていくものです。その機会を自ら放棄しているような態度の人を見ると、つい残念だなと思ってしまいます。

これまで私が接してきた成功者の方々には、常に学ぶ姿勢があり、小さなチャンスも逃さずキャッチしています。そのために意識していることは、大げさなことではなく、とてもシンプルなことです。しかし、できていない人が多いのです。

残念な人ではなく、デキる人になるために実践してほしい８つのことをピックアップしてみました。今からちょっと意識するだけで、仕事の効率が上がり、周囲からも「変わったな」と思われるはずです。

今日から使える!
仕事がデキる人の8カ条
1

質問には結論から答える

デキる人は決断が速いものです。それは、日常会話からもわかります。例えば、「お寿司と焼肉、どちらが好き?」と聞かれたときに、「お寿司」と即答できるのが、デキる人です。「お寿司は好きだけど、エビのアレルギーだから、うーん、焼肉かな。でも、カルビは胃もたれしちゃうし、うーん……」と回りくどく答えたり、「杏奈さんはどっちですか?」と質問返しをしてくる人は、質問の意図がわからないのかなという印象を与えてしまいます。まず、質問の答えをはっきりと伝えてから雑談するのが、相手にストレスを感じさせないコミュニケーションです。あと、作業の手を止めて考えちゃうような人は、「この人、仕事が遅いんだろうな」「判断に時間がかかるんだろうな」と思ってしまいます。

結論を簡潔に答えることで、コミュニケーションがスムーズにとれるようになります。

今日から使える!
仕事がデキる人の8カ条

2

会話を「でも」から始めない

口グセのように「でも」「だって」「いや」と否定形の接続詞を使って会話をする人がいますよね。本人は否定するつもりはなく、無意識なのでしょうが、相手からすると自分の意見を否定されているのかなという印象になってしまいます。会話の流れで、自分が「でも」「だって」から話し始めていないか、意識してみましょう。

「今度、○○の仕事を始めようと思うんだよね」と話したときに、「それって、大丈夫?　うまくいくの?」とマイナスな反応をする人も、残念なタイプです。相手を心配しているように見えますが、チャレンジ精神のない人だな、柔軟性がないんだなと感じられてしまいます。マイナス面ではなく、どんなことでもプラスの面を見つけられる人のほうが、デキる人なのです。

注意されたら感謝する

今日から使える!
仕事がデキる人の8カ条

3

上司に注意されたり怒られたりしたとき、どんな態度をとっていますか？　自分は悪くないと言わんばかりにムスッとした顔をしていませんか？　私からすると、怒られて不快になる意味がわかりません。年を重ねれば重ねるほど注意してくれる人は少なくなっていきます。怒られたり叱られたりする場面も年々減っているはずです。自分のことが嫌いだから怒るんだとか、怒られて恥ずかしいとか思うのはもったいないこと。それでは、なぜ怒られているのか気づけないままで、自分の成長を止めてしまいます。怒るほうだって労力を使うんです。注意してくれたことに対して「ありがとうございます！」の気持ちを持てる人ほど、学びが多く、飛躍していきます。

「申し訳ありませんでした。ご指摘ありがとうございます」と受けとめ、自分と向き合い、何が悪かったのかに気づくこと。形だけの感謝ではなく、気づきがともなってこそ、成功への道を歩めるのです。

人の話の腰を折らない

今日から始める!
仕事がデキる人の8カ条

4

会話が盛り上がっているときや、相手が気持ちよく話しているときに「あー、それね、知ってる知ってる」と横から口をはさんだり、「そんなことより、この前さー」と自分の話に強引に持っていこうとする人は、学ぶ機会を失っています。つまらなそうな顔で聞いているのは、言語道断です。デキる人は、「うん、うん!!」「へぇー!!」と上手に相槌を打ちながら、興味津々な態度で聞いているものです。すると、相手もうれしくなりもっと話したくなり、そこに有益な情報が隠れていることもあります。

よく、「空気を読む」というけれど、会話をするときはやはりその場の空気を読みながら、相手を不快にさせないようにすることが大切です。そのためには、自分が逆の立場だったらどうかと考えることです。

人の話は最後まで聞き、それを受け発言するようにしましょう。聞き上手になれば、インプット量も増えますし、相手の心も開きやすくなり人間関係も円滑になります。話すのが苦手な人ほど、まずは聞き上手になってください。

ノートとペンでメモをとる

今日から使える!
仕事がデキる人の8カ条

5

興味や好奇心をもって話を聞いているという態度を示すために必要なのが、メモをとることです。「はい、はい」「そうなんですね」と相槌を打つことも大切ですが、ビジネスシーンでは、書きとめることが効果的なんです。

今どきノートとペン!?と思うかもしれませんが、ご年配の方はまだまだアナログ派も多いので、どちらかというとスマホよりも印象がよく見える傾向にあります。その日、ノートがないときは、「すみません。スマホ（パソコン）でメモをとらせてください」とひと言、添えるといいでしょう。スマホのメモ機能を使っていたとしても、相手にはスマホでほかのことをしていると思われかねません。今どきはスマホが当たり前だからと思わず、目上の方にとってこのひと言はとても大事です。

単なるパフォーマンスで終わらせず、会話の中で気になるワードはしっかりとメモしておくこと。仕事のアイデアのもとになるかもしれませんし、次に会ったときに「この間の……」と会話に出てくるかもしれませんから。

今日から使える!

仕事がデキる人の8カ条

6

LINEは即レス&ラリーを止めない

忙しい人ほど、ＬＩＮＥやメールの返信が早く、同時にいくつものことをこなしている印象です。これは仕事でもプライベートでも同じ。

会議や打合せ中にスマホを見るのは失礼と言われがちですが、急ぎの連絡が入ったときに即レスできなければ損失が出ることもありますし、チャンスを逃すこともあると思うし、信頼を失うことだってあると思います。急用でなくても内容は把握しておきたいので、私は常にスマホを手にして意識を向けています。お店をやっているので当たり前のことですが、習慣になっていますね。

もちろん仕事の形態によって即レスがマストではないこともあるでしょう。朝と昼、夕方にまとめて返信をするスタイルも否定しません。しかし、会話のキャッチボールと同じで、ＬＩＮＥやメールでラリーが続いているのに、急に返信を止めてしまうのは非効率。短い文章でもいいので、ひとつの要件をすませればスッキリします。

今日から使える!

仕事がデキる人の8カ条

7

素直に「知らない」と言える

スタッフを前に話をしているとき、「はい、はい」とうなずいていても話の内容を理解しているのか疑いたくなるときがあります。顔を見ればわかるんです。知っている風に見せるのではなく、わからないこと、知らないことはスルーせず「すみません。わからないので教えてください」と素直に聞いたほうが得です。「知ってます」風にされたら、それ以上教える必要がないと思って、話をしなくなってしまいます。

第４章の中でもお伝えしましたが、デキる経営者ほど謙虚に自分の無知を認め、知ったかぶりをしないものです。疑う目を持っているから、わかったふりもしません。知らないことは恥ずかしいことではないので、素直に「知りませんでした」「わかりません」「教えてください」と言えるほうが素敵です。学ぶ機会を得られたのだから、その機会をムダにせず、どんどん新しいことを吸収して成長していけばいいのです。

説明は過剰なくらいでいい

今日から使える!
仕事がデキる人の8カ条

言葉にしなくても気持ちを察してほしいと相手に期待して言葉足らずになっていませんか？　自分の思う通りに相手が理解してくれないと、「何で？」「どうして？」と自分には非がないような態度をとるのもダメです。

相手はあなたではないので、言葉足らずでは伝わりません。伝わっているだろうなんていう期待は持たないこと。むしろ何も伝わっていないと思って、やりすぎなくらいひとつひとつの行動に対して言葉で説明をしたほうが失敗は少なくなります。仮に間違っていないことでも、説明不足によってすれ違いが起こる可能性もあります。相手が誤解したまま物事が進んでいき、最終段階ですれ違いが発覚するかもしれません。

表情で読み取れるだろう、これくらいわかってくれているだろうという期待は捨ててください。自分の考え、気持ちは自分にしかわからないのだから、しっかりと自分の言葉で説明できる人になりましょう。

こんな人にはならないで！
あなたのまわりの
反面教師
ルシセ
目立タイ男
目立タイ男
#セミナー
Taio_medachi
異業種からの学び!!
NOTHANKYOU
NOTHANKYOU
JIBUNDE・DEKIMASU

昔から私には憧れの人がいません。その代わりと言ってはなんですが、「あの人みたいにはなりたくない！」という逆ロールモデルがたくさんいます。いわゆる「反面教師」です。

10代の頃は憧れの存在もいましたが、その人のマネをしてもその人にはなれないし、超えることもできないとわかってからは、自分らしいやり方、自分にしかできないことを大切にしてきました。反面教師の存在があったからこそ、自分を俯瞰で見ることができましたし、自分の成長、成功につながったと思っています。

人の嫌なところばかりを見つけていては寂しいので、最近はその人のいい面も探せるようになってきました。それに、完璧な人はいないですからね。欠点があっても、ひとつはいいところがある人も多いですから。すべてを求めすぎなくなりました（笑）。

これまで出会ってきた中で、私が思う仕事がデキない人、何者かになれない人の共通点をあげてみました。私もそうならないように……自戒の念を込めて紹介します。

こんな人にはならないで!

あなたのまわりの反面教師 1

他人の肩書を自慢する人

自分の実績ではなく、他人の肩書でマウントをとる人は、小物感が強いと思います。自らの身内を「夫が医者で〜」「彼氏が地主の息子で〜」と言うならまだいいのですが、それほど親しくもない人を「彼女のご主人、馬主なの」とか、「彼女の妹フォロワー数10万人よ」と肩書で紹介するのは滑稽です。だから何？って感じしかありません。

自分に自信がない人ほど、肩書で損得を考えて付き合うんだろうなと思いますね。

こんな人には
ならないで!

あなたの
まわりの
反面教師
2

エラい人に向かってしか話さない人

人によって態度を変えるなんて、能力がない人がすること。商談や打合せにおいて、その中で一番エラい人＝権力者に向かってしか話さない人がいますけど、その他大勢の目も合わせてもらえなかった人は、案外それを忘れずに覚えているもの。その人が権力を持つようになったときに、損をするのはあなたです。

無下にされた側も、「あの人、性格悪いな」と思わず、悔しさをバネにしてハングリー精神をもってほしいです。

こんな人には
ならないで!

あなたの
まわりの
反面教師

3

物もこだわりも捨てられない人

「私って○○タイプだから」と決めつけて、昔から同じテイストの服、同じメイク、同じ考えで生きている人は、自ら成長することを放棄しているように思えます。脳がアップデートできていないんです。

いつか使うかもと、３年以上も使っていないものを捨てられずにいる人は、過去の栄光にすがって生きている傾向あり。部屋が物であふれている人は、過去に執着して捨てるのが下手な人。入れ替えの周期を早めてください！

こんな人には
ならないで!
あなたの
まわりの
反面教師
4

人の厚意を
素直に
受け取れない人

純粋な親切心から、「手伝おうか」「一緒にやれば早いから手分けしてやろう」と申し出てくれたことに対し、気をつかってなのか「悪いし、いいよ」と断る人は、そのうち誰からも助けてもらえなくなります。断るにしても、まずは素直に「ありがとう」と言えばいいのにって、思います。嫌だったら最初から声をかけませんから。

意地を張らず、ときには弱い部分を見せて人に甘えてみるのも大切です。

こんな人には
ならないで!
あなたの
まわりの
反面教師
5

名言、ポエムで自分を盛ろうとする人

SNSにやたらと名言や格言を掲げている人はいませんか？　そして、映える写真にポエム調の長文を投稿していませんか？

これといった実績がないのに、意識高い系のいいことを言ってそうな文章で自分を飾りたてている人は、いつか化けの皮がはがれてしまいます。過剰に自分を大きく見せるのは、劣等感のあらわれだし、滑稽です。盛りすぎは要注意！　まず必要なのは、実績を作ることです。

こんな人には
ならないで!

あなたの
まわりの
反面教師

6

やたらと忙しいをアピールする人

「バタバタしている」はNGワード。本当に仕事ができる人は、寝てない自慢もしないし、わざわざ忙しいことをアピールしません。それに、自分に余裕があり、プライベートの時間も充実していて稼げている人のほうが本当にデキる人だと思うんです。

打合せや会食に遅れてくるのも、非常識と思われるだけ。時間は作れるんです。涼しい顔で「毎日、暇してます」と言えるくらいになってこそ、成功者です。

特別インタビュー

なんで住谷さんの商品って売れるんですか？

健康美人研究所株式会社

化粧品を中心に、商品開発から卸・小売、広告やコンテンツ制作に至るまで、幅広い事業を展開している。自社の主力商品である、住谷杏奈さんがプロデュースするオーガニック生クリームシャンプー『クレムドアン』は、シリーズ累計500万個の販売実績を誇る。

EC事業部長
久米田彩乃さん

✤——住谷さんとの出会い、そのときの印象を教えてください。

私たちの会社では通販サイトを運営していますが、6年ほど前から自社製品を増やしていこうという方針になりました。それを私が任されたのですが、なかなか思うように商品が作れずにいたんです。代表からは「好きなようにやっていいよ」と言われましたが、何でもいいとなると意外と難しいもので、これだ！というものができず、ヒット作もないまま1年がすぎていきました。

そんなとき、知人から紹介されたのが住谷さんです。すでに商品プロデューサーとしてヒット作を出されていましたし、面識はないものすごい方だというのは知っていました。
初対面のときはドキドキしましたが、とても気さくな方で、いい意味で芸能人らしくないというか、すぐに距離が縮まって話しやすい雰囲気を作ってくれていました。
ご自身で商品をプロデュースされているだけあって、通販の仕組みも熟知されていましたし、どうすれば売れるのかという住谷さんならではのノウハウもお持ちでした。「なるほど！」と教わることが多かったですね。

✤――すぐに、シャンプーを作ることになるのでしょうか？

具体的な商品までは決まっていませんでした。ジャンルも決まっていなかったので、いくつかの工場でいろいろなサンプルを作っていただき、すべて住谷さんに試してもらいました。その中で、ピンときたのがクリームシャンプーでした。
当時、クリームシャンプーは有名メーカーからも出ていたのですが、泡立たないシャンプーはなじみがなく、知っているけれど使ったことがないという人が大半でした。目新しさはあるけれど、この世になかった新しいアイテムでもないというのが、住谷さんのアンテナに引っかかったようでした。

✤――住谷さんが、これまで培ってきた経験から得た「売れる」法則に当てはまってますね。世の中にない斬新なものではなく、新しいものに自分なりの工夫を加えるという。

そうですね。まさにその通りだと思いました。「クレムドアン」のクリームシャンプーはおそらく、世界一くらい硬いと思うんです。それは、住谷さんのこだわりで、天然由来のものだけで作りたい、美容成分もたっぷり入れたいと、成分をとことんいいものにした結果です。

泡立つシャンプーは一般的に合成界面活性剤が含まれていますが、クレムドアンのクリームシャンプーは不使用なので、頭皮が弱い方でも安心して使うことができます。

自分の子どもに使えるようにと、いい成分のものだけを使いたいとおっしゃっていました。マイルドに洗い上げ、きしまずになめらかな指通りを実現するために、何十回も試作を繰り返しました。サンプルができるとすぐに試して、ここはいいけれど、これがダメなど、細かくフィードバックしてくれました。

工場の担当者との打ち合わせにもほぼ毎回同席してくれましたし、そのときにどうすれば理想のテクスチャーになるのかをとことん突き詰めて話し合いをしてくれました。住谷さんの中で完成形が見えていて、芯がぶれないので、関わるスタッフも納得ができるし、アイデアもどんどん出てきて、毎回、前向きなディスカッションができていました。

✤——前向きな話し合いができるということですが、具体的にはどんなことですか？

成分にこだわると、原価もどんどん上がり、販売価格も上げなくてはいけません。正直、いい物ができても値段が高いとなかなか売れないんですよね。そこを住谷さんもわかっているので、こだわりはあるけれど、変にこだわらないというか、固執しないんです。

例えば、「この成分を何％入れると、硬くなりすぎるからできない」と言われた場合、できないなら仕方がないと納得してくれますし、必ず落としどころを見つけて、解決してくれます。できないものを無理にというのはないんです。たまに無理難題を言われる方もいますが、住谷さんは経営者でもあるので、コストもしっかりと考えてくれるのが助かりますね。

✤——こだわる部分と、仕方ないねと諦めるその線引きはどこにあると思いますか？

ずばり、売れるか、売れないかだと思います。みんながAかBで迷っているときも、「売れるほうにしよう！」とズバッと言ってくれますし。

商品を作るからには、絶対に売る！という覚悟が常にあると感じています。その気合というか、気迫というか……。それは、シャンプーの中身だけでなく、パッケージやWEBのページ構成、広告・宣伝にいたるまですべてに感じています。

新商品を作るときも、最初のシャンプーの購買層を見て、じゃあ次は育毛ができるものにしよう、白髪ケアができるといいねと、ニーズに合ったものを提案してくれました。成分に関しても、宣伝をするときに訴求ポイントになるものは何か？と逆算して考えるんです、住谷さんは。普通は、白髪ケアのためにはこの成分がいいよねってなるところを、この成分が〝ウリになる〟とまず考える。

どう売るかという先のことまで考えるやり方は、私にとって驚きでしたし、ほかの商品を作るときの参考にさせてもらっています。

✤——ほかのプロデューサーと、ここが違うという点はありますか？

芸能人という枠では語れないところだと思います。一般的に、芸能人の場合は制約がいろいろとあるのですが、住谷さんは、商品プロデューサーとしての立場でしっかりと関わってくださいます。

中身ができたら終わりではなく、容器を選ぶときも同行してくれますし、広告用の撮影も打ち合わせから参加されます。どんなイメージにするかアイデアをたくさん出してくれますし、スタッフ選びもお任せしてしまうほどです。撮影時のケータリング（食事）まで手配してくれて、何から何までお世話になりっぱなしです。しかも、予算内におさめてくれるんです。

　クレムドアンは継続して使っていただきたいので、3回目、5回目の購入者には特典がつくのですが、その特典用のグッズも住谷さんのアイデアから生まれています。

　アイデアが豊富で、毎回驚かされています。バラエティショップやドラッグストアにも頻繁に足を運んで、新商品チェックを欠かさないし、海外の美容情報にも精通している。「こんなおもしろいものあったんだけど」と、次の商品や広告のために、ちょくちょく連絡をくださるので、こちらも怠けてはいられないなって思うんです。

✤――久米田さんから見て、住谷さんの強みはどこにあると思いますか？

　化粧品の成分だけでなく、商品づくりのノウハウ、アイデアなど知識量が豊富なところです。これは、片手間ではできないことだと思いますね。常にアンテナを張って、情報をキャッチしているんだろうなとわかります。

　あとは、スーパーポジティブなところ。ネットの批判は気にしないとおっしゃっていますが、本当にそうで、びくともしないところは見習いたいですね。私はついつい、批判的なコメントを見ると落ち込んでしまうので。

　ポジティブだし、フラットなんですよね。会うたびにいつも同じテンションで、機嫌が悪そうとか、元気がないなってことがない。気分に波がなく、芯がぶれない人です。それに、新人スタッフに対しても、役職がついている人に対しても同じ対応なんです。あの人はエライからとか、あの子はまだ下っ端だからという区別をしない。対等に話してもらえることに、新人スタッフも驚いていました。

✤――たしかに、いつも同じテンションですよね。最後に、なぜクレムドアンは売上が伸びていると思われますか？

第一に徹底的に成分にこだわっていることです。住谷さんが実際に試して、もっとこうしたほうがいいと、妥協せずにこだわっている結果です。第二にプロモーション活動を住谷さんが積極的に行ってくれていることでしょうか。ご自身の商品ですから当たり前でしょ、と思われるかもしれませんが、実際にここまで関わってくれる方はごく少数だと思います。訴求ポイントをご自身の言葉で語ることができるのも強みですね。売れるためなら、やれることはとことんやるという姿勢を示してくれるので、私たちスタッフもがんばらなくては！と自然と思えるし、やるんですよね。住谷さんを先頭に、プラスの循環しかないんです。時には言い合いをすることもありますが、売るためという共通の目標があるので、感情に任せてではなく建設的な議論になりますし、あとくされもない。

住谷さんからは次々とアイデアがわいてきていて、今後も新商品を予定しています。時代の流れを読みながら、新しいけど斬新すぎない、ニーズに合ったものばかりです。髪と頭皮の専門店として、さまざまな髪に対応できる商品を作っていければと思っています。

おわりに

「即行動」は、私のポリシーです。すぐに決断し行動に移すという以外にも、何事も早く経験したいと子どもの頃から思っていました。だから、原付の免許は16歳でとったし、結婚も16歳になったらすぐにするだろうと考えていたほどです。人より早く何かをしたい！という衝動は今も大切にしていて、それがビジネスチャンスを逃さない秘訣にもなっています。

売れないZ級タレントをすぐ辞めて専業主婦になりたいと思っていたのは、売れる未来が見えない芸能界にダラダラといたくなかったというのもありますが、どちらかというと結婚は昔からの私の夢だったんです。小学校の卒業文集にも「将来の夢はお嫁さん」と書いていました（笑）。

ずっと夢見ていた結婚をしたのは、23歳のとき。私の計画からは7年遅くなってしまいましたが、結果的に私にとって大正解のパートナーを得ることができ、憧れの「専業主婦」という肩書を手に入れたのです。そして、結婚で私の人生は好転しました。本書でお伝えしたように、それまでとは真逆のタイプと付き合ってみようと考えをガラリと１８０度変えたことが、幸運を手に入れられた勝因です。ビジネスもそうですが、タイミングも大事です。私が人脈や煩わしい人間関係はいらないと言いきれるのも、家族の存在があるからこそ。

私は仕事人間と思われがちですが、子どもの教育に関してはまわりが驚くほど全力です。スパルタなときもありますが、子どもの将来を考えてのこと。勉強のことだけではなく、生きていくうえで大切なことを自分の経験を踏まえて教えています。第6章の中で「人の話の腰を折らない」とお伝えしましたが、中でも「空気を読む」ことは、子どもが小さい頃から口を酸っぱくして言ってきました。友だちの家に遊びに行くときなども、失礼な発言をしないように繰り返し教えてきました。

子どもはいい意味でも悪い意味でも素直です。友人家族と一緒に出かけて「つまんない、帰りたい」と言ったり、友だちの家で出してもらったお菓子を「おいしくない」と言ったり、プレゼントをもらっても「これ、持ってる」と言うことも。子どもが言うことだから、悪気はないから、で済ませたくなく、きちんと躾をしないと、後々恥をかくのは子ども自身です。先を読んで行動すること、空気を読むこと、人を不快にさせないことは人として重要なことです。子どものためを思ったら、小さいうちから一人の人間として接することが大切だと私は思います。

今年の誕生日に娘からもらったバースデーカードには、「小さい頃は厳しくて嫌だ！と思うこともたくさんあったけど、今はきちんと躾をしてもらって心から感謝してるよ！　ありがとう！」と書いてあり、私の教育が間違いではなかったんだと、自信を持つことができました。

ビジネスを始めるきっかけは夫の収入減によるものでしたが、商品企画やプロデュースはやりがいのある仕事ですし、私に向いている仕事だと思っています。ただ、本来は表に立つのが苦手な人間です。意外だとよく言われますが、できれば田舎でひっそりと暮らしていたいタイプなんです。SNSで見ず知らずの人に自分の生活をさらけ出すのは、この仕事をしていなかったら絶対にしていません。

ここだけの話、次の目標は、私が表に出なくても、私の名前を出さなくてもお金を稼ぐこと。それが、私が次のステージに上がるということだと思うのです。お金は心の余裕につながるし、選択肢を増やすためのツールです。ないよりはあったほうがいいのだから、できるうちに稼いでおきたいと思っています。

ただし、性格や生き方、夢や理想は人それぞれです。一人一人がなりたい自分をイメージしてその理想を口に出して現実に変えていくのです。本書で繰り返しお伝えしてきましたが、こうすれば成功するという秘訣はひとつではありません。方法は無限にあります。私はその方法でうまくいったけれど、別の人が同じ行動をとってもうまくはいかないかもしれません。逆に、私がやったことのない方法でその人は成功するかもしれません。稼ぎ方や成功するための方法は十人十色なのです。

マインドを柔軟にして、いつ来るかわからないチャンスを逃さないように努力すること。自分に才能がないと思ったら才能がある人の10倍努力すればいい。自分には無理だと諦める前に、努力を続けることです。

そして、何事も経験です。過去を捨てろ、自責の念を持て、人脈なんていらない、羞恥心を捨てろ……。いろいろ語ってきましたが、これは私が実際に経験して、私がベストだと思った生き方です。ビジネス書を数十冊読むよりも、経験によってたくさんのことを学びました。

机上の空論ばかり追わず、まずは行動し、経験をしてみてください。本を読んだり、人に話を聞いたりしただけですべてをわかった気になるのはやめましょう。本や人に聞いた話で得た知識はあくまでもヒントとして取り入れ、自分の中に落とし込み、オリジナルにしてどんなこともすぐにトライしてみることが何よりも大切です。

私がああしなさいこうしなさいと言ったところで、最後は自分の意思です。自分で苦労してつかみとったことは、必ずあなたの自信になります。失敗を恐れていては何も手にできません。失敗したこともポジティブに捉えれば、次の新たなステージへ大きく飛躍できるはずです。でも、落ち込んでまわりが見えなくなることもあるでしょう。そのときは、とことん落ちこんだら、すぐに切り替えて過去の自分を殺し、一回り大きくなった新しい自分で生きていきましょう。リセットした新しい人生は、前回の人生よりもきっとキラキラ輝いているはずです。

そこそこうまくいっていたけれど伸び悩んでいる、現状を打破したいという人は、過去の栄光にすがりついていては、落ちていくだけです。今、自分はどの位置にいるのかを俯瞰で見て把握する必要があります。半年前、1年前の正解が今の正解とは限りません。極端な話、季節ごとに考えをアップデートし、見方を変えていかなければ先頭集団に居続けられません。

プライドはとても邪魔なものです。そして、常に人への感謝を持ち続けないと裸の王様になってしまいます。

考え方をアップデート、リニューアルするだけでなく、私は時々、初心に返るようにしています。「住谷杏奈」が何者か認知されていなかったときを思い出すために、行きつけの飲食店ではなく、まったく誰も知らないところに行くんです。すると、「ああ、こういう風に扱われていたな」というのを思い出すし、素性がわかった途端の手のひら返しもダイレクトに感じるんです。以前、デパートでアルバイトもしたことがあります。スタッフとして売り場にいたり、バックヤードで作業をしていたりすると、普段、行きつけのお店として買い物に来ているときとは扱いが違います。当然のことですが、立場によって扱われ方が違うことを定期的に実感しないと、自分がダメになるって思っているので、潜入捜査的にやっていますね。居心地のいいところばかりにいては、甘えが出てきてしまうもの。定期的に初心に戻ることで、自分はどんな立場の人にでも同じように接したいと心から思っています。

何者かになれたかどうかは、まわりに認知されてこそ。会合など大勢人がいる中で、「あの人、誰?」「何をされてる方ですか?」と聞かれることがなくなって、やっと実績が認められたと言えるのです。名前を聞いただけでパッと何をしている人か思い浮かぶようにならないとダメだと思い続けて仕事をしてきました。「住谷杏奈」といえば、「あー！」と言われるような仕事をしていきたいと思ってきました。でも、最近はあまり肩書にこだわらないというか、縛られたくないという気持ちに変わってきました。不思議ですよね、昔は堂々と言える肩書が欲しかったのに。何者でもないときほど、なめられたくなくて肩書にこだわってしまうんだと思いました。

こう見られたい、こうでなきゃいけない、こうならないと恥をかく……という変なこだわりを捨てたらもっとラクに生きられると思うのです。自分の中にあるこりかたまった考えもそうだし、世の中の価値観もそう。過去やプライドを捨てなさいというのは、自分を大きく見せるための鎧を捨てるということなんです。鎧は攻撃から身を守るものだけれど、分厚く重たい鎧では動きが制限されてしまいます。たくさん経験する中で、自分に向いているもの、できることがわかってくるし、生きやすい道が見つかるはずです。

私は結婚を機に人生が好転しましたが、人生をガラリと変える転機は、必ずしもパートナーを得ることではありません。これまでとは180度違う行動をとること。それは、小さなことでもいいのです。例えば、グループでの旅行ばかりだった人が一人旅をしたら、新しい生き方が見えてくるでしょう。駅からいつもと違う道を通って帰路につけば、新たな発見があるかもしれません。

確かに、何十年も付き合ってきた自分の考えを変えることは容易ではありません。しかし、今まで「人生は一度きり」と思っていた人、「人生は何度だってやり直せる」と聞いてもピンとこなかった人も、この本を読んで、新しい自分に生まれ変わることを、少しは現実的に考えられるようになっているのではないでしょうか。

あなたは、「捨てる」と聞いて、まだもったいないと思いますか?

「捨てる」というのは、いつ新しく大切なものが入ってきてもいいように、空きスペースを常に作っておくことです。本書が、「捨てる」という言葉が、身軽に生きるためのポジティブなイメージに変わるきっかけになれば嬉しいです。

2023年9月

住谷杏奈

著:住谷杏奈
装丁・本文デザイン:木庭貴信、岩元萌(OCTAVE)
カバーイラスト:赤
本文イラスト:あらいぴろよ
DTP制作:木村舞子(Natty Works)
校正・校閲:東京出版サービスセンター
撮影:楠本隆貴(WILL CREATIVE)
ヘアメイク:山口理沙(+nine)
取材・構成:岩淵美樹
編集担当:阿部泰樹(イマジカインフォス)

今日死んで、明日を生きる。

人生を変えるには「捨てる」だけでいい

2023年10月31日　第1刷発行

著　者　住谷杏奈

発行者　廣島順二

発行所　株式会社イマジカインフォス
〒101-0052 東京都千代田区神田小川町3-3
電話　03-6273-7850(編集)

発売元　株式会社主婦の友社
〒141-0021 東京都品川区上大崎3-1-1 目黒セントラルスクエア
電話　049-259-1236(販売)

印刷所　大日本印刷株式会社

ISBN978-4-07-455723-3

■ 本書の内容に関するお問い合わせは、
イマジカインフォス企画制作本部(電話03-6273-7850)にご連絡ください。
■ 乱丁本、落丁本はおとりかえいたします。主婦の友社(電話049-259-1236)にご連絡ください。
■ イマジカインフォスが発行する書籍・ムックのご注文は、
お近くの書店か主婦の友社コールセンター(電話:0120-916-892)まで。
＊お問い合わせ受付時間 月～金(祝日を除く)10:00～16:00

イマジカインフォスホームページ https://www.st-infos.co.jp/
主婦の友社ホームページ https://shufunotomo.co.jp/